國民會館叢書　別冊

國民會館の主張「金言」第1巻

武藤治太の「思うまゝ」

《はじめに》

公益社団法人國民會館会長　武藤治太

國民會館が毎月発行するメールマガジンに、會館の主張を何等かの形で執筆、掲載してはどうかとの当時の専務理事からの勧めにより「金言」という題でコラムを書き出したのは、２０１２年８月のことであった。それから約８年が経過したが、執筆の対象となったのは「政局論」「国家論」「経済論」「マスコミ論」「インフラ、エネルギー論」「外交、防衛論」そして「人物論」の各ジャンルを２月５日号で90篇を書いたことになる。

その前から「大阪春秋」の発行元である新風書房の福山琢磨社長からなかなか面白いのでまとまった時点で単行本にしてはどうかとの誘いを受けていた。今般それが実現することになり、自分としては大変面はゆいのであるが、その内の22編をまとめて上梓することになった。本の題名については、これも大変おこがましかったが、國民會館の創始者である祖父武藤山治が「時事新報」の再建にあたっていた際に連載していた「思うまゝ」にちなみ武藤治太の「思うまゝ」になってしまったことは誠に汗顔の至りである。山治は昭和７年（１９３２年）経営の傾いていた恩師福澤諭吉の創設した時事の再建を託されわずか２年で立て直しへの道を開き、収支均衡まであと一歩の段階で、当時政、財、官が絡んだ後に帝人事件に発展する「番町会」を紙上で追求していた昭和9年3月暴漢により狙撃され落命した。文字通り福澤先生の御恩に報いた最期であった。彼が週一回紙上に連載した「思うまゝ」は「処世訓、人生訓」に始まり「財政、経済」「時事雑感」など社会のあらゆる範囲の問題を取り上げわかりやすく記述しており、今読み返しても立派に通用する。特に彼は語学に秀でており最新の英書を取り寄せ世界情勢に精通していたので当時としては珍しく広い視野で書かれていると思う。

それに引き換え私は一か月間難行苦行してようやく拙い一本のコラムを仕上げる有様で人間の能力の差を痛感するのである。

彼は新聞人としての常識を超え、時事入社後毎日社説を自分で執筆した。経営再建という多忙な身にもかかわらずどうして社説を毎日書けたかについて、そのやり方について触れると、当時彼は湘南の北鎌倉に住まいしていたのであるが、横須賀線の北鎌倉から東京の新橋まで約1時間強かかる。彼は乗車すると直ぐに社説の執筆に取り掛かり、新橋に着くまでの間に下書き原稿を仕上げていたのである。その読みにくい原稿を新橋駅で時事新報の係が受け取り清書して午前中に武藤に提出し、彼はそれに推敲を加えて翌日の社説が出来上がっていたのである。山治はもともと文学者を志していたからそのような才能に恵まれていたのであろうが、矢張り日頃の勉強の度合いが桁外れに私とは違うことを痛感している。山治とは比較にならない私の拙い「思うまゝ」であるがお読みいただければこれに勝る幸いはない。

令和2年2月20日

目　次

第1話

大江健三郎論

難解で理解しづらい文章

2012年12月19日

本年度のノーベル医学・生理学賞を京都大学の山中伸弥教授が受賞され、先日華やかな授賞式が執り行われたことは誠に喜ばしく、日本人として誇らしいことであった。テレビの映像を見ていると、山中教授の胸には先日受章された橘をかたどった文化勲章が美しく輝いていた。これを見ていて思い出したことがある。

第一章　文化勲章受賞を拒否した大江健三郎氏とは

1994年にノーベル文学賞を受賞した大江健三郎氏のことである。ノーベル賞受賞者には文化勲章が与えられることが習わしであるが、あろうことか大江はこれを受けなかった。そしてその理由は、民主主義に勝る権威と価値観を認めない、と勲章そのものを否定して受章を拒否したのである。一方フランス政府からのレジオンドヌール勲章は受章している。大江は1935年生れであるから、華々しく「太陽の季節」で芥川賞を受賞して、文壇に登場した１９３２年生まれの石原慎太郎氏と同年代で、石原と同じく23歳で芥川賞を受賞している。私も文学は大変好きで、注目された大江の作品を何冊か相当忍耐を重ね、読んだことがあるが、大変難解で理解しづらかった。サルトルの実存主義から強く影響を受けたといわれているが、門外漢の私にはよく判らない。しかし大江の文体は独特で難解で悪文であるという評価もある。

第二章　大江健三郎氏の偽善的・反国家的政治思想

彼の政治思想の背景は、戦後民主主義者を自認し、国家主義、特に日本の天皇制に対して批判的な立場で、護憲に立脚して核兵器や憲法９条にしばしば言及している。勿論、自衛隊の存在には否定的であるが、他方中国の核実験の成功には手放しで礼賛している。その他自衛隊のイラク派遣については米国追従を激しく攻撃し、また尖閣諸島問題については「領土問題は存在しない」という日本政府の立場を批判している。大江の政治的発言には批判も多く、例えば、かつて毎日新聞に「防衛大学生は自分達の世代の日本人の弱みで、恥辱である。自分としては防衛大学の志願者が皆無になるように働きかけたい」と発言し、防大生や防大出身の幹部自衛官の人格を否定するものである、と厳しく批判された。また反核運動に熱心なのに、反核運動に批判的で軍備拡張の意見に賛同している「文藝春秋」から芥川賞をもらい、かつ審査委員までつとめていたことに対し、体制・反体制双方に、いい顔を示すとして批判をあびている。その他大江は「社会主義に寄生している精神的幼児」と池田信夫氏は批判し、谷沢永一氏は、「大江の発言は、国内向けと国外向けをはっきりと使い分けている」と発言、さらに彼はオーム真理教の教祖タイプの人間であると断言している。教祖的との批判はほかにもある。また、石平氏は大江が訪中した際、共産主義について沈黙し、中国共産党幹部には終始低姿勢であったとしてその日和見を批判している。さらに、北朝鮮関連でも幾つかの問題発言があり、信用できない人物である。その他、一番記憶に新しいところでは、1970年の著書「沖縄ノート」の中で集団自決の強要に関し、名誉棄損事件を引き起こした。最終的に本件は昨年上告が棄却され、大江は勝訴したのであるが、文学者の大江の政治的発言はいささか踏み込み過ぎで、勇み足の感を免れない。

第三章　ひとりよがりの大江文学の価値は何か

話を大江のノーベル賞受賞と文化勲章受章拒否に戻したい。難解にして独善的な大江の作品にノーベル賞受賞の価値が本当にあるのかどうかは判らないが、ノーベル文学賞の存在の是非について論議されている昨今、それなりの受賞価値があったのであろう。ただ私見ではあるが、文学は一人よがりであってはならない。その点、私は大江文学に共感できないのである。1994年大江が川端康成氏に続く二人目のノーベル文学賞受賞晩餐会における基調講演は、川端の演題「美しい日本の私」をもじった「あいまいな日本の私」であった。あいにく手元に両講演の内容がないのでどのようなことを話したかは不明であるが、自分を芥川賞に推薦してくれた大先輩の演題を、もじるとは真に礼を失しているのではなかろうか。一方彼は前述のとおり、戦後の民主主義者である自分は天皇陛下から頂く文化勲章は受け取れないとして受章を拒否した。彼が民主主義国と思っている中国や北朝鮮にそれに該当する勲章があるのかどうか知らないが、もしそうなら嬉々として受け取るのであろう。余談であるが、文化勲章を辞退した方々は過去大江以外に陶芸家河井寛次郎、洋画家熊谷守一、女優杉村春子の三氏がいる。ご存じのとおり河井、熊谷両氏は名利に恬淡とした人で、自分はそのような勲章に値しない、どうかそっとしておいて欲しいというのが辞退の理由。杉村氏は、自分は長生きした、もっと受章にふさわしい方々がおられたのにそれを差し置いては心苦しいとの理由であった。いずれも民主主義がどうとか、天皇陛下から頂くのがどうとか政治、思想的なものではなかった。「民主主義的でない日本」、「あいまいな国日本」が嫌いなら自分の理想とする「あいまいでない国」へ大江氏は即刻亡命されてはどうであろうか。

第2話

河野洋平論

慰安婦問題の河野発言の重い責任

２０１３年４月23日

政治家のあるべき姿とは、国家、国民の利益即ち国益を追求することを第一義に考えることが当然の義務である。しかしながら、現在国会議員は７００名の多数が在籍しているが、その中でどれだけの議員が、国益について真剣に考えているかには疑問符がつくところである。ましてや総理大臣や大政党の総裁経験者が国益を損なう行動に走っている我が国の現状は、真に憂うべきものがある。私は今回その元凶として河野洋平氏について言及したいと思う。

第一章　政治ごっこに終わった前半生

◆第1節　若くして政界のプリンスに

河野洋平氏は鳩山一郎元首相のもとで農林大臣を務め、日ソ交渉でも活躍した河野一郎氏の子息で、１９３７年（昭和12年）の生まれであるが、父親の急死にともない若くしてその地盤を受け継ぎ、1967年（昭和42年）30歳の若さで衆議院議員に初当選し、若手時代には「プリンス」と呼ばれ、彼自身の勉強会「政治工学研究所」を主宰するなど超派閥的に活躍し、自民党内左派の中堅、若手を束ねる立場にあった。

◆第2節　新自由クラブの結成とその挫折

そして1974年（昭和49年）に田中角栄氏が金脈問題で躓き辞職した際、自民党総裁を目指して若手議員の擁立運動に乗ったのであるが、当時の党内実力者の間で後継者が決定していたため、その野望は挫折したのであった。その結果、1976年（昭和51年）彼は前期の「政工研」のメンバーであった西岡武夫氏以下5名と自民党を突然離党して、新自由クラブを結成し、その党首に就任した。そして結党直後の総選挙において一挙に17名の当選者を出し、新自由クラブブームを巻き起こした。ところが、1979年（昭和54年）に盟友の西岡が自民党に復党したため大打撃を受け、総選挙においても惨敗し、代表を辞任する破目となる。

◆第3節　自民党への定見なき返り咲き

しかし1983年（昭和58年）、新自由クラブは、総選挙で過半数を割った自民党からの呼びかけに応じ連立政権に参加して、翌年河野は再び党代表に返り咲く。そして1985年（昭和60年）には第二次中曽根内閣で入閣して科学技術庁長官に就任した。1986年（昭和61年）新自由クラブは党勢ジリ貧のまま解党を余儀なくされ、河野は自民党に復党したのであった。何のための十年間であったのであろうか、河野の信念のなさにはがっかりするが、これも民主党の鳩山由紀夫と同様の「政治ごっこ」と考えれば納得できるのである。

第二章　五つの大罪への軌跡辿った後半生

◆第1節　自民党を与党にカムバックさせたが…

その後1991年（平成3年）に発足した宮沢喜一内閣の成立に貢献し、内閣官房長官に就任する。ところが、1993年（平成5年）小沢一郎氏が議員40名を引き連れ脱党して新生党を、武村正義氏が同志10名と共に新党「さきがけ」を結成し、同年の総選挙において過半数を割ったため宮沢内閣は総辞職した。この局面で河野は総裁選挙に立候補し、渡辺美智雄氏を破って自民党総裁に就任する。一方自民党は野党との連立に失敗したため、日本新党、新党さきがけ、新生党の三党連立による細川護熙内閣が誕生し、自民党は野党に転落する。

しかし細川政権は長続きせず、その後任の羽田内閣も短期間で崩壊する。そこで、河野は自民党の与党復帰をめざし、自民党、社会党、新党さきがけによる三党連立政権の成立を図り、河野は自分の首相就任を断念して、首班には社会党の村山富市を担ぐ奇策に出て1994年（平成6年）村山内閣を誕生させる。河野は副総理外務大臣に就任した。この奇策の実態がどのようなものだったのかは明らかではないが、とにもかくにも自民党を与党にカムバックさせたのは河野の功績であろう。

◆第2節　首相にはなれなかった与党党首

１９９５年（平成7年）参議院議員選挙で与党が敗退すると村山は河野に政権の禅譲を申し出る。しかし、党内の旧竹下派の猛反対にあい、やむなく河野はこの申し出を断る。一方で彼は自民党総裁の再選を目指すが加藤紘一氏らが対抗馬に橋本龍太郎氏を推薦したため出馬辞退に追い込まれたのであった。総裁となった橋本は、１９９６年(平成8年)首相となる。

こうして河野は、史上初めて内閣総理大臣に就任しなかった自民党総裁となった。その後、河野は１９９９年（平成11年）に成立した小渕内閣の外務大臣となり、小渕の急死後の森内閣でも続投した。そして２００３年（平成15年）に行われた衆議院選挙後、政権奪還をはたしながら首相に就任できなかった状況を、見かねた党長老の推薦で衆議院議長に就任した。

自民党総裁経験者で衆議院議長になったのは河野一人だけである。そして２００８年（平成20年）次の選挙への立候補中止を声明し、翌年（平成21年）の議会解散と共に議員生活を終えた。

◆第3節　定見なく陽のあたる場所を追い求めた結末

以上が河野の政治人生のあらましであるが、総括すると、ただひたすら陽のあたる場所を追い続けた彼の姿勢については、抵抗を覚えるものである。彼の政治姿勢は一貫して中国との関係をことさら重視する中国重視外交、すなわち親中、媚中派で、言い換えるならば対中国土下座外交といって差し支えない。よく知られたエピソードであるが、１９７５年（昭和

50年）バンコクで行われた東南アジア諸国連合外相会議に出席した際、搭乗機が機体不良で台湾に緊急着陸した。彼は中国の外相に「私は台湾の空港で一歩も外に出ませんでした」と述べ、関係者の失笑を買ったのである。

第三章　彼の犯した五つの大罪とは

次に彼の犯した大罪について述べたいと思う。大罪の最たるものは「河野談話」（慰安婦に関する談話）であるが、この我が国を覆う自虐史観の元になっている本件については最後に詳述するとして、他にも幾つもの問題発言、行為があった。

◆第1節　国益を守るべき外相時代の大罪

⑴北朝鮮へのコメ支援

外務大臣であった２０００年（平成12年）彼は北朝鮮へ50万トンものコメ支援を決定した。拉致に関して全く誠意を示さない北朝鮮に対し金額にして１２００億円の巨額支援を進めたのである。しかし北朝鮮はそれに対して何らの謝意を表していない。山崎拓氏は「北朝鮮からの食糧要請は最大限すべきである。拉致などの個別案件で支援ができないというのは、よほどの議論が必要である」と、うそぶいている。河野の考え方はこれと全く同じと思われる。国連からの要請は19万5千トンで、これをはるかに上回る援助は、はなはだ戦略性に欠けるもので、供与したコメの相当部分が軍の備蓄に回ったといわれている。

(2)遺棄化学兵器に関する取り決め

1997年（平成9年）外務大臣在任中に日本が批准していた「化学兵器の開発、生産、並びに廃棄に関する条約」の発効に伴い中国国内に遺棄された旧日本軍の毒ガス弾の処理について、中国政府と取り決めを交わしたのであるが、対象の毒ガス弾は全量日本製ではなくて相当数の中国、ロシア製のものが混じっていたにも拘わらず、全量の処理を引き受けてしまった疑いがある。さらに一説には、この条約上、対象物の処理を我が国が行う必要は全くないともいわれており、アメリカは、パナマに残した遺棄化学兵器の処理を全く実施していない。中国の言いなりになって、はなはだ国益を損じた行為と断定せざるを得ない。

(3)李登輝訪日反対

2001年（平成13年）台湾の李登輝前総統の訪日問題で中国におもねり自らの外務大臣辞任までほのめかし、入国ビザ発行に強硬に反対した。結局李登輝氏にはビザが交付されたのであるが、河野が辞任したとは聞いていない。

◆第2節　国権の最高機関である衆議院の議長時代の大罪

(1)戦没者追悼式における問題発言

2006年（平成18年）8月15日全国戦没者追悼式の衆議院議長追悼の辞において、天皇、皇后両陛下のご面前を省みず「戦争を主導した当時の指導者たちの責任をあいまいにしてはならない」と戦争責任論に言及した。さらに2007年（平成19年）8月15日の同追悼式において「日本軍の一部による非人道的な行為によって人権を侵害され、心身に深い傷を負い、今もなお苦しんでいる方々に心から謝罪とお見舞いの気持ちを申し上げたい」とはなはだ場違いな、常識を疑う発言を繰り返した。戦没者追悼式が、どのようなものであるか、彼には根本的に理解できていないのである。

◆第3節　宮沢内閣官房長官時代の慰安婦に関する談話

この河野談話こそ現在我々に突き刺さっている鋭い大きな棘といって差し支えない。この談話がもとになり、いまだに「従軍慰安婦強制連行」が、これを証明する客観的な資料が存在しないにもかかわらず、中学教科書に記載されているのである。1993年（平成5年）日本政府は「従軍慰安婦問題」に関する調査を実施したのであるが、調査結果では慰安婦の強制連行を示す証拠は何一つ見つからなかった。しかし、当時の宮沢内閣で官房長官の任にあった河野は同年8月「慰安婦関係調査結果発表に関する内閣官房長官談話」いわゆる「河野談話」において「総じて本人たちの意思に反して行われた」とか「官憲などが直接加担して強制があった」と「強制連行」の事実があったことを認めている。しかし、当時官房副長官であった石原信雄氏は「強制連行」を認めたくだりは政府の調査結果からではなく、談話発表の直前に韓国で行われた、元慰安婦からの聞き取り調査から導き出された一方的なもので、日本政府の調査では、どこをひっくり返しても、軍などの日本側当局が慰安婦を強制連行した資料は、確認されなかったと証言している。元慰安婦の証言には全く裏付けがなく、一方的な被害証言による「慰安婦の強制連行」が歴史的事実として独り歩きしているのである。このように「河野談話」の責任は極めて重いものがある。

強制があったことを認めたのは、韓国政府との取引すなわち「慰安婦の名誉回復のため、とにかく強制があったことは認めるが、日本政府は金銭的な保証は行わない」があったかどうかははっきりしないが、おそらく日韓両国関係を配慮してやむなく強制性をいわば善意で認めたのではないかと桜井よし子氏は述べている。ところが河野は平成9年3月31日の朝日新聞のインタビユーにおいて、談話の根拠が裏付けのない慰安婦の証言だけと認めているにもかかわらず「自虐史観」に立って語る運動家の謝罪の理屈を心底から信じきっているようで、全くこの人物は信用できない。

■おわりに

最近媚中派といわれる鳩山由紀夫、加藤紘一、河野洋平などがせっせと中国を訪問して媚を売っているが、このような百害あって一利なしの行為は断じて許すことができない。このような行為は中国当局の思うつぼで、はなはだ売国的な行為である。河野は数日前、中国を訪問し、汪洋副首相と会談しているが、どうして現在のような難しい時期に訪中などするのであろうか。

第３話

特定秘密保護法案に思う

「知る権利」と「国家・国益」の比較

2013年11月22日

「特定秘密保護法案」が11月7日から衆議院の審議に入ったが、朝日、毎日の両新聞は「法案を廃案にせよ」と連日一面や社説で強硬な意見を述べたてている。なるほど世論調査の結果も法案に反対が賛成を上回っているようであるが、この法案の内容について、アンケートの対象者が、どれほど熟知しているかは、はなはだ疑問である。

第一章　法案反対で世論を煽るマスコミと識者達

◆第１節　法案の骨子

まずこの法案の内容を見ると、その骨子は、第一に「特定秘密の範囲と有効期間」に関して行政機関の長が、防衛、外交、特定有害行為（スパイ）防止、テロ防止の４分野について特別秘密を指定し、その指定の有効期間は５年以内として更新を可能とするが、30年を越える更新は内閣の承認を必要とする。第二には「秘密を扱う関係者」は内閣の承認を必要とすること。第三に「知る権利」に関して、報道、取材の自由には配慮し、取材行為は法令違反もしくは不当性がない限り正当業務とするが、秘密漏洩者は10年以下の懲役とし、共謀、教唆は5年以下の懲役とするものである。

◆第2節　反対論者の反対理由

反対する一部のマスコミと有識者と称す人達の理由は、前記の「特定秘密の範囲」については、特定秘密への指定をチェックする仕組みが不十分で、政府によって一方的、恣意的に行われるのではないかということと、都合の悪い情報は隠されるのではないかという点である。「有効期限」については秘密指定の有効期限が、内閣の承認があれば延長が無期限になされ、永久に公開されないおそれがあるとし、「知る権利」については国民の知る権利が損なわれる懸念があるとするものである。

◆第3節　一部マスコミのヒステリックな反対

朝日、毎日の両新聞は反対のキャンペーンを連日派手に行っており、特に毎日新聞は連日社説で取り上げている。その内容は、この法律が施行されるならば、我が国は戦前の日本に逆戻りし、日本は情報管理国家になるとか、民主国家の原理と矛盾するとか、さらには社会不安を呼び、国民の毎日の生活が息苦しくなるのでは、とまで言っている。これは毎日新聞ではないが、同法案は戦前の「治安維持法」の再来であると書いた記事を、どこかで読んだ。

第二章　国会での論戦における安倍首相の答弁

◆第1節　特定秘密の範囲

さて、法案の一番の問題点として批判されているのは、関係機関が指定する「特定秘密」の範囲が無原則に広がり、「知る権利」が侵害されるのではないかという点である。また、法案が特定秘密として「別表」で列挙した防衛、外交など4分野23項目の内、「その他」が11項目あり、解釈により「本来指定されない情報も、秘密指定に拡大される余地があるのではないか」と懸念されている。これに対し安倍首相は「秘密指定や解除は、外部有識者の意見を反映させた基準に基づいて行われるなど、重層的な仕組みを設けているので心配はない」としている。

◆第2節　特定秘密の有効期間

次に、一度指定された秘密は、永久に秘密のままとなるのではないかという点については、安倍首相は「一定期間経過後、一律に秘密指定を解除、公開するのは困難であるが、指定期間は、30年を原則として無期限となることを防ぐ」と答弁した。また、前記特定秘密の指定や解除を決める基準を作る際には有識者の意見が反映されるが、有識者は指定や解除そのものには関与することができず、これについて制度上の不備であるとの野党の指摘に対しては、首相は「個々具体的な特別秘密の指定を、行政機関以外の者が行うのは、専門的、技術的判断が必要であるから、適当ではない」と強調した。

◆第3節　特定秘密を知る権利

一方、「知る権利や報道の自由に、十分に配慮することを誰が判断するのか」との質問には首相は「行政、捜査機関、裁判所などがすべて判断する」「報道機関の取材は、全て正当な行為で処罰の対象にはならないと条文に明確にした」と答弁した。また「行政を監視する国会の情報取扱いのルールは、国会で決めるべきである」と首相はいう。

さらに特定秘密を国会に提示する場所としては、「秘密会」としていることに野党から三権分立に反するとの、疑問の声が上がっているが、首相は「一定に条件が満たされるならば、特定秘密は国会に提供する。そして「秘密会開催後の秘密保護の方法については国会の検討に委ねる」と答弁している。特に、「民主国家の原理と矛盾」などと反対の意見を叫ぶ理由は「知る権利」が侵されるという点であるが、これについては「知る権利」について配慮する条項が加わった。

第三章　個人の自由より、日本国の安全保障が優先されるべきだ

◆第1節　知る権利には厳然と限界あり

なるほど「知る権利」は、憲法は第21条第1項の「集会、結社および言論、出版その他一切の表現の自由はこれを保障する」に基づいているものであり、民主主義の根幹をなす最も

重要な権利であろう。しかしながら、我々はこの権利を誇大に考えすぎているのではないか。全てのことについて、なんでもかんでも洗いざらい個人に「知る権利」があるのであろうか？

私は当然「知る権利」にも限界があってしかるべきと考えている。「知る権利」を必要以上に言い立てるのはマスコミの過大な思い込みである。個人の「知る権利」と国益、公益を比較するならば国益、公益が当然優先する、したがって、個人の「知る権利」は公共の福祉を含めた国益、公益により制限されるべきである。

◆第2節　日本ほど情報管理に脇の甘い国はない

ここで私の立場を明確にするならば、今回の特定秘密保護法案には基本的に賛成である。なぜなら我が国にはこのような秘密保持に関する厳しい法律がなかったからである。

安倍首相は10月17日の参院本会議で「公務員による主要な情報漏洩事件は5件把握している」と答弁しているが、私が聞いた政府機関の関係者によると「そんなものではない。5件は氷山の一角にすぎない」と言っている。日本ほど、情報管理に脇の甘い国はないというのが、諸外国の評判である。

マスコミは、国益に関する重要な情報が、なんの抵抗もなく、じゃじゃ漏れであると報じている。これは、今まで我が国に厳しい法律が存在していなかったことに起因することは間違いない。同盟国のアメリカも日本の情報管理の甘さにはあきれているのではないか。このような状況だから、アメリカもまともに機密情報を漏らしてこなかったのではなかろうか。

◆第3節　安全保障と民主主義のジレンマの賢明な解決がなされるべきである

今回の法案審議について、同志社大学学長の村田晃嗣氏は「安全保障政策では、情報をできるだけ秘密にする方が有利である。一方民主主義は情報をできる限り明らかにすることを求める。その両者のジレンマが、先鋭的に表れたのが特定秘密保護法案である。

情報管理が甘いと、他国から思われることは好ましくないという観点から当法案の必要性はあると思うが、何を秘密にして何を公開するかの基準はつくられるべきである。

特定秘密を指定する際には第三者機関が審査することも考えてはどうか。安全保障と民主主義のジレンマを乗り越えていくための努力は、国民が常にしていく必要がある。政府が過度に恣意的に規制するということであれば、それに対して国民が反発の声をあげるという繰り返しの中で修正されていくのではないか」と述べているが、全くその通り穏当な意見である。

■おわりに　不毛な観念的反対の論議に終止符を！

「朝日」「毎日」の、記者諸氏は頭がよいのでいろいろと法案反対の理由を展開するが、結局のところは「知る権利」が侵される民主主義の危機、戦前への逆戻りなどという、観念的反対に終始しており、これでは、スパイ天国の我が国の状況は改善されない。

大体、先の戦争をあおった大新聞社に安全保障を妨げる一見もっともらしい反論を叫ぶ資格は全くない。

今この原稿を書き上げたところに産経新聞（11月18日）の夕刊が配達された、一面にアンケート特定秘密保護法案「必要」59％となっていた。

第4話

あえて今一度原発再稼動の問題を問う

人類の英知を結集し超えるべき壁

２０１４年４月２日

３月は当館創立者の没後80年に当たり、講演、原稿執筆に追われ「金言」が大変遅くなりました。言い訳ではないが、消費税も上がり、社会保障の問題が一段とクローズアップされているので、この問題に取り組むべく準備していたが、余りにも問題が大きいので、それについては、次回以降に回し、今回は未だに遅々として一向に進まない、原発の再稼働の問題をあえて取り上げることにした。

第一章　民主党政権の公約を覆す「新エネルギー計画」出される

◆第１節　原発即廃止の意見の広がりの中で

２月25日政府は原子力発電を引き続き重要な電源と位置付ける長期的なエネルギー計画案を公表した。これは、民主党政権が掲げた原発を段階的に全面廃止するという公約を覆すものである。

すなわち、福島第一原発の事故発生以来、我が国では、原発の即廃止を含めて継続使用に反対する意見が広がっている。そして現在日本にある原発48基の内17基については、原発事故発生後導入された厳しい新基準に基づいて、原子力規制委員会が再稼働申請を審査中であることは衆知の通りである。

◆第2節　原発を重要なベースロード電源にするとの決定

さて、新エネルギー計画は今後20年間の我が国のエネルギーを如何に供給していくかを示すものであるが、この案では原発を「重要なベースロード電源」と位置付けて、火力発電や水力発電と並ぶ重要な電源としている。ただし、原発の割合は示されず、その必要とする規模については、今後十分に見極めるとしている。実際、事故発生以前の原発割合は30％で、政府は50％を目指していたが、当面は安全上の理由からその数字は断念した。

◆第3節　原発の存続の根源的理由は明快である、事は急ぐべし

安倍首相としては、原発の全面的な廃止は、巨額な廃炉費用と償却費がかさむこと、さらには電気料金の大幅な引き上げが必要なことから原発存続は不可欠と考えている。原発政策は、2月9日の東京都知事選においても即原発廃止の細川、小泉陣営と将来の廃止はありうるが当面は存続させるという舛添氏が争い決着がついている。また今回の計画では、再生可能エネルギーを一段と推進する方針が打ち出されているが、実際問題として再生可能エネルギーが発電量に占める割合は、水力発電を別にするとわずか2～3％に過ぎない。将来の問

題としては再生可能エネルギーを重視していかなければならないが、当面は火力、原子力がその根幹になるのは自明の理である。政府は3月中にエネルギー基本計画を閣議決定に持ち込む予定であったが、与党内でも再生可能エネルギーの数値目標の決定について公明党から異論が出て、さらに核燃料サイクルの主役である高速増殖炉「もんじゅ」の存続を巡る議論も重なり、4月以降の閣議決定にずれ込む見通しである。

第二章　原発再稼動反対、具体論で警鐘を

◆第1節　理想論・観念論に流されやすい一般国民

原発再稼働については、なお世論では根強い反対意見がある。私はこの件については、今まで何回も述べてきたが、一般国民は理想論、観念論に流されやすいのである。確かに即原発廃止は安全性、核のゴミ処理の問題からみて将来においては、そうあるべきものと思うが、現実問題としては再生可能エネルギーが戦力になるのは相当遠い先の夢物語であるし、火力発電には、割高で地球温暖化にマイナスの重油、LNGを使用しなければならない。また、石炭の価格も高騰し、火力発電のコストは急激に上昇し電気料金の再値上げは避けられない。実際電気料金は、標準家庭で2011年と14年を比較すると月額6、375円から7、476円となっており、世界最高水準である。参考までにLNGの輸入金額は、2010年7000万トン、3・5兆円、13年8、750万トン、7・1兆円となっており元来得意としてきた電気部門などの衰退や、燃料以外の輸入の増加、為替の円安などを考慮しても赤字の

元凶が、燃料費の増加にあることは間違いない。一方、火力発電の現有設備自体、原発が稼働していないため老朽設備を含めフル運転しており、このままの状況が続くと由々しき事態の到来が予想される。

◆第2節　国民へ具体論で訴えを

エネルギー基本計画について、政府はもっと原発の再稼働がなぜ必要なのか国民に対して訴えなければならないのではないか。すなわち、再生可能エネルギーをもっと積極的に導入すべきとの声を多く聞くが、1基の原発発電量をメガソーラで賄うためには、東京都の戸建住宅のほぼすべてに太陽光パネルを設置する必要がある。また、陸上風力なら現在国内に導入されている設備の1・2倍が必要で、しかも風力の適地は限られている。洋上風力も有望という声もあるが、送電のためには膨大なコストがかかる。これだけをとっても、再生可能エネルギーが主役になるなどは机上の空論であることは明白である。

◆第3節　長期的視野、経済全般から国益ベースでの啓蒙を

次に原発再稼働を、政府が志向していること自体は全く正しいのに、長期的な原発の在り方についてあいまいな態度をとり続けていることは問題と思う。もっとはっきりと、現状においては原発の再稼働が最も国益に合致していることを国民に啓蒙すべきである。さらに、原発再稼働が日本経済にとって如何に重要な問題であるかを、経済全般の観点から論じなければならない。国際収支の問題なども、もっと詳しくわかりやすく説明する必要がある。

第三章　元凶は「原子力規制委員会」である

◆第1節　「原発ゼロ」では停電常態化と料金高騰の地獄へ！

現状においては国民の省エネルギー対策が進み、電力需要は２０１１年１月８３８億キロワット時が14年1月では８０４億キロワット時となっており、あえて原発再稼働は不要という考え方が横行しているが、とんでもないことである。原発ゼロでも何とかなっているのは、先にも触れたように老朽化した火力発電に鞭打って高い燃料を使いながらやっと発電量を確保しているに過ぎない。早晩このような状況は破綻するであろう。そうなった場合停電は常態化し、料金はさらなる高騰となる。こうなった時、原発再稼働反対者はいったいどうするのか。

◆第2節　大停電を経験しなければ目が覚めないのか！

極言かもしれないが、首都圏における大停電などを経験しなければ私はこれらの観念論者の目は覚めないであろうと思う。さて原子力規制委員会の田中委員長は昨年7月再稼働審査の開始に当たって「半年程度で結論を出したい」と語ったが審査は大幅に長引き、規制委員会のいわば匙加減に電力会社は翻弄される状況が続いている。3月5日の関西電力との会合でも島崎委員長代理は「地震動の解析が不十分」と、さらなるプレッシャーをかけている。電力会社の担当者は「どこまで何をやればいいのかわからない」といっている。北海道電力を例にとると、昨年7月に泊原発3号機の審査について「緊急時原子炉冷却装置」に予備配管がないという致命的問題が通告されたのは実に審査開始後半年以上過ぎてからであった。配管工事は、数か月では終わらない。このため本年6月に再稼働を予定していた泊原発の運転は絶望的となった。この結果どうなったか、4月1日付け日経新聞一面トップ記事の通り、北電の債務超過を回避するため日本政策投資銀行は資本支援を行うことになったのである。また、関電の場合でも断層の場所が深いとか浅いとかで、全く埒が明かないのである。行きつ戻りつの審査はいい加減にして欲しいと電力会社は感じている。

◆第3節　まずは民主党の置き土産である三条委員会の廃止を！

規制委員会にも言い分があるのはわかるが、まず安倍首相は独立性の高い三条委員会として、現状ではどこの官庁も手出しができないこの民主党の置き土産である規制委員会を何とかしないと原発の再稼働は遅々として進まず、毎日100億円の国富が燃料費として失われていく状況が続き、国益を損なっていくのである。皆さんは原子力規制委員会の委員の面々が如何に尊大に、まるで電力会社を被告人のように扱っているかをご存知であろうか。田中委員長は自信がなく自主性に欠け、とても組織を束ねていける人物ではない。島崎委員長代理は、地震学者であるが、偏狭で弱い者いじめにしか見えない態度を電力会社にとり続けている。首相の英断に期待するところ大なるものがある。

第５話

集団的自衛権閣議決定について

五大新聞の社説要約と感想・意見

２０１４年７月14日

７月１日に安倍首相は、集団的自衛権に関する憲法解釈の変更について閣議決定を行い、いよいよ我が国の防衛態勢は新しい局面に入った。翌７月２日の五大紙は各社の社説において、一様に集団的自衛権行使の容認の是非について論じている。しかし、余りにも容認、否定の主張に落差が大きいのは、当然予想していたことではあるが、驚かされるのである。

今回は、各社の基本的主張である社説を取り上げ、これに対する私の考え方を述べたいと思う。

第一章　朝日新聞の社説要約

◆第１節　集団的自衛権の容認「この暴挙を超えて」

(1)　戦後我が国が70年近くかけて築いてきた民主主義をこうもあっさり踏みにじれるもの

か。

(2) 法治国家としてとるべき憲法改正の手続きを省き、結論ありきの内輪の議論で押し切った事実は目を被うばかりだ。

(3) 確かに欧米の識者からは「東アジアで抑止力を高めるためには集団的自衛権を認めた方がよい」「PKOで、他国軍を助けられないとは信じられない」という声が聞こえてくる。しかし日本国には9条がある。戦争への反省から自らの軍備に、はめてきたタガである。占領政策に由来するとはいえ、欧米の軍事常識からすれば、不合理な制約とうつるであろう。

(4) 自衛隊がPKOなどで海外に出て行くようになり、国際社会との折合いがつけにくくなっているのは事実である。しかし、それでも日本は9条を維持してきたのは「不戦の国」への自らの誓いであり、アジアの国々をはじめ、国際社会への宣言であるからだ。「改めるべきだ」との声はあっても、それは多数にはなっていない。

(5) 9条と安全保障の現実との溝が、もはや放置することができないというならば、国民の合意を作ったうえで埋めていく。これが政治の役割だ。その手続きは、憲法96条に明記されている。

(6) 今日の閣議決定は、明らかに「行使はできない」と言ってきたことを「できる」ことにするというならば、白を黒と言いくるめる「解釈改憲」である。

(7) 憲法の基本原理である平和主義の根幹を一握りの政治家で曲げてしまってよいのか。

(8) 自民党の憲法改革案には「公益および公の秩序」が人権を制約することがあると書いて

あるが、個人の権利より、国益が優先されることに懸念を持つ多くの学者や法律家がいる。

(9) 極端な解釈変更が許されるならば、基本的人権すら有名無実となる。ということは個人の多様な価値観を認め権力を縛る憲法は、その本質を失う。

(10) 今回の安全保障政策の見直しや外交が現実に即したものとはいえない。日本がまず警戒しなければならないのは、核やミサイル開発に注力する北朝鮮の脅威である。朝鮮半島有事を想定した米軍との連携は必要だとしても、有事を防ぐには、韓国や中国との協調は欠かせない。集団的自衛権は、尖閣諸島周辺の緊張には直接関係しない。むしろ、海上保安庁の権限を強めることが先決との声が自衛隊内部にあるのに、その議論はなされていない。

(11) 集団的自衛権の行使とは、他国の武力攻撃に対して自衛隊が「自衛」隊でなくなることである。自衛隊は日本を守るために存在する。海外で武力は行使しない。そんな「日本の常識」を覆すにたる議論が十分になされたとはいえない。自衛隊員を、海外での殺し、殺されるという状況に送り込む覚悟が政治家にも国民にもできているとは思えない。それは密室での与党協議ではなく、国会でのオープンな議論と専門家による十分な論争、さらには国民投票での了承を得ることが絶対に必要である。安倍政権はそれを逃げた。首相は記者会見で「国民の命を守るべき責任がある」と強調したが、責任があるからといって憲法を実質的に変えていいという理由にはならない。

(12) 閣議決定されたからといって自衛隊法をはじめ関連法の改正や新法の制定がない限り、自衛隊に新たな任務を課することはできない。今後議論は国会の場に移る。この政権の暴挙を、跳ね返すことができるか、野党ばかりではなく国民の異議申し立てや、メディアを含めた、日本の民主主義そのものが、いまここに問われている。

◆第2節　朝日新聞社説に対する反論

(1) 朝日の社説を読んで私が感じたことは、客観的な視野を欠き、情緒に頼り過ぎた内容である。

7月2日、朝日は、1面において、この7月1日こそ「専守防衛」に徹してきた日本が直接攻撃されなくても、他国の戦争に加わることができる国に大きく転換した日となった—という記事を掲載し、安倍内閣を真っ向から攻撃した。この社説も最後は大上段に振りかぶり「日本の民主主義そのものが、いまここに問われている」と、まるで演説のような口調で、記事を締め括っている。

(2) 朝日は、9条、9条とまるで九官鳥のように唱え続ける。9条の存在により、戦後日本の平和が保たれてきたという考え方だと思うが、その考え方が100%間違いとは思わないが、それだけで平和が保たれてきたわけではない。米ソ冷戦のはざまで、防衛はアメリカにたより、軽武装の自衛隊を保持するだけで、経済成長に集中できた幸運に恵まれたのが我が国である。

(3) 大体9条を純粋に考えるならば、第1項の戦争放棄はよいとしても、第2項は、戦力は保持しない、交戦権は認めないとなっている。しからば自衛隊は戦力ではないのかということであるが、自衛隊は憲法違反の立派な戦力であろう。憲法9条は、第2次大戦の結果、米国が日本を二度と立ち直らせないよう仕組んだ方策の一つであるが、結果は冷戦に対する予測が甘かったアメリカにとっての大誤算となったのである。そして１９５０年の朝鮮戦争勃発により、あわてふためいて日本につくらせたのが警察予備隊、現在の自衛隊である。その後日本政府は、苦労に苦労を重ねて、本来違憲の軍隊である自衛隊を、何とか自衛権は本来的な国家の権利であるとして、合憲として今日までもたせてきたのである。朝日は、集団的自衛権行使は違憲というが、一番根本となる自衛隊こそ違憲なのではないか。ここは憲法改正こそが王道であろう。

(4)　我が国には、個別的自衛権はあるが集団的自衛権は、保有しているが使用できないという誠に不可解な解釈のまま今日に至っているのであって、本来的には自衛権に個別と集団の区別などないと私は思っている。ましてや国家、国民の平和と安全を守っていくために、国は格段の努力を傾けなければならない。いま日本を取り巻く東アジアの状況はどうなっているか、核ミサイル開発を推進する北朝鮮、軍備の大拡張に邁進する中国は我が国を脅かす二大脅威である。外交で全てを解決できるなどと言っているのは、余りにも平和ボケといって差し支えない。外交を有利に展開するには、少なくとも集団的自衛権行使という裏付けが必要と思うが、いかがであろうか。

(5)　今こそ一国平和主義の幻想をすて、抑止力向上のため集団的自衛権行使を容認しなければならない。もし中国に侵略された場合どうなるのか考えたことがあるのか。チベット、ウイグルその他少数民族がどのような状況にあるのか、朝日は考えたことがあるのか。かつて、朝日は軍国日本に迎合し、日本を亡国へと導いた。現在の朝日新聞の目的がどこにあるのか知らないが、いつか来た道への道案内だけはご免こうむりたい。

第二章　毎日新聞の社説要約

◆第1節　歯止めは国民がかける

(1)　集団的自衛権を行使可能にする、憲法解釈の変更が閣議決定された。行使の条件には「明白な危険」と並び「我が国の存立」ということが強調されている。これは、いかようにも解釈できる。例えば、イラクなどにおける中東情勢の混乱も、日米同盟の威信低下や国際秩序のゆらぎが「我が国の存立」にかかわると、時の政府が考えるかもしれない。「国の存立」が自在に解釈され、その名のもとに他国への参加を正当化してはならない。「自存自衛」を叫んで同盟国との約束から参戦して滅んだ大正（第一次大戦）、昭和（大東亜戦争）の過ちをくりかえしてはならない。

(2)　先の敗戦は、国際的な孤立の果てであり、今は日米同盟の基盤がある。孤立を避け「米国に見捨てられないため」に、集団的自衛権を行使すると政府は説明してきた。しかしそれは米国の要請に応じることで「国の存立」を全うするという道につながる。日本を普通の国」にするのではなく、米国の安全と日本の安全を密接不可分なものにする「特別な関係」の国にすることを意味する。イラク戦争を支持した反省も、総括もないまま、単に「米国に見捨てられないため」に集団的自衛権を行使するという日本の政治に、米国の間違った戦争とは一線を画する自制をのぞむことは困難である。そのためにこそシビリアンコントロール（文民統制）の本来の在り方を、考え直す必要があるのではないか。

(3) 文民統制こそ軍の暴走を防ぐために、政治や行政の優位を定めた近代国家の原則である。しかし、政治そのものもしばしば暴走する我が国の場合、それに自制を課してきたのが憲法9条の縛りであった。縛りが外れたシビリアンコントロールは、単なる政治家、官僚の統制にすぎない。

(4) 閣議決定で行使を容認したのは、国民の権利としての集団的自衛権であって、政治家や官僚の権利ではない。歯止めをかけるのも国民だ。私達の民主主義がためされるのはこれらである。

◆第2節　毎日新聞社説に対する反論

(1) 毎日の社説の中身は朝日と変らない。すなわち憲法9条の縛りがあったからこそシビリアンコントロールが保たれ、日本は戦争に巻き込まれなかった。もしそれがなくなれば、政治の暴走を止めるものは、なくなってしまうといっている。

(2) 憲法9条は、朝日のところで申し上げたように、2項はつぎはぎの憲法解釈でかろうじて存在しているもので、当然変更してあたりまえのものである。それを金科玉条として、拠り所としていることは間違っている。

(3) 毎日の社説で問題なのは、これも朝日と同じなのであるが、東アジアにおける我が国を取り巻く困難な情勢を、わかっておりながらそれについて触れていないことだ。例えば中国の尖閣諸島に対するあからさまな力による干渉をなんと考えるのか。

(4) 政治の暴走、権力の暴走というが、1960年安保改定騒ぎ以来の左翼にかたよったマスコミの暴走をいったいどう考えるのか。

(5) 国力の弱まった米国は、今後益々日本との関係を強めていこうとするであろう。一方的な「見捨てられない関係」とか「特別な関係」の時代は終わったと思う。米国との良好な関係を維持しつつ、今こそ憲法の改正を行い「普通の国」への道を進むべきと思っている。

(6) 最後に、歯止めをかけるのは「国民」であるというが、マスコミは今後いかなる責任をはたしていくつもりなのか。

第三章　読売新聞の社説要約

◆第1節　抑止力向上へ意義深い「容認」日米防衛指針に適切に反映せよ

(1) 政府が集団的自衛権の行使を限定的に容認する新しい政府見解を閣議決定したことは、日本が米国などの国際社会との連携を強化して、日本の平和と安全を確たるものとするうえで、画期的な意義を持つ。

(2) 行使容認に前向きな自民党と、慎重な公明党の立場は当初へだたりがあったが合意したことを歓迎する。

(3) 政府見解は密接な関係にある国が攻撃され、日本国民の権利が根底から覆される明白な危険がある場合、必要最小限度の実力行使が許容されるとした。集団的自衛権は「保有するが行使できない」とされてきた。それが行使容認に転じたことは、長年の安全保障上の課題を克服したことにおいて、画期的なものである。

(4) 今回の政府見解には明記されていないが、米艦防護、機雷除去、ミサイル防衛など政府の集団的自衛権を適用すべきとする8つの事例すべてに対応できるとされる。また、国連決議による集団的自衛権に基づく掃海などを可能にする余地を残したことも評価できる。行使の範囲を狭めすぎると自衛隊の活動が制約され、せっかくの憲法解釈の意義が損なわれてしまう。

(5) 今回の新解釈は、1972年の政府見解の根幹を踏襲し、過去の解釈との論理的な整合性を維持しており、合理的な範囲内の変更である。本来は憲法改正すべき内容なのに解釈変更で対応する「解釈改憲」とは本質的に異なる。むしろ、国会対策上などの理由で過度に抑制的であった従来の憲法解釈を、より適正化したものといえる。

(6) 今回の解釈変更は内閣の持つ公権的解釈権に基づく。国会は今後関連法案の審議や自衛権発動時の承認という形で関与する。司法も違憲立法審議権を有する。いずれも、憲法にいう三権分立に沿った対応であり「立憲主義に反する」との批判は理解しがたい。

(7) 「戦争への道を開く」といった左翼、リベラル勢力による情緒的な扇動も見当違いである。自国の防衛と無関係な他の国を守るわけではない。イラク戦争のような例は完全に排除されている。

(8) 政府見解では、自衛隊の国際平和協力活動も拡充した。すなわち憲法の禁じる「武力行使」との一体化の対象を「戦闘現場における活動」などに限定した。「駆けつけ警護」や任務遂行目的の武器使用も可能としている。また、自衛隊による他国部隊への補給、輸送、医療支援でより実効性のある活動が期待できよう。

(9)　武装集団による離島占拠などのグレーゾーン事態の対処では、自衛隊の海上警備行動などの手続きを迅速化することになった。さらに、平時から有事へ「切れ目のない活動」を行うため自衛隊の領域警備任務などを付与することも検討してはどうか。

(10)　政府与党は、秋の臨時国会から自衛隊法、武力攻撃事態法の改正など関連法の整備に着手する。これについては様々な事態に対応できる仕組みにすることが大切である。PKOに限定せず、自衛隊の海外派遣全体に関する恒久法を制定することも検討に値しよう。

(11)　年末に日米両政府は、日米防衛協力指針（ガイドライン）を改定する予定であるが、集団的自衛権の容認や「武力行使との一体化」の見直しを指針に反映しなければならない。

(12)　自衛隊の対米支援を拡大する一方、離島など日本防衛への米軍の関与を強め、双方向で防衛協力を深化させたい。新たな指針による有事の計画策定や共同訓練を重ねることが日米同盟を強化して、抑止力を高めていく。安倍首相は今後、国会の閉会中、審査の機会を利用して、行使容認の意義を説明して、国民の理解を広げる努力を尽くすべきである。

◆第２節　読売新聞社説に対する感想、意見

(1)　朝日、毎日の社説を読んで、今更ながら、自国の存立を危うくする論調を、こうも無神経に展開することに強い抵抗感を持ったのだが、読売の論調は極めて正鵠を射ており、納得できる。

(2)　さて、最近の集団的自衛権容認に関する内容の説明は、朝日、毎日、東京などはまず反対という考えが前のめりとなっており、一般大衆には理解できていないのが実情ではなか

ろうか。秘密保護法の報道もしかりである。

(3) その点、読売では、この社説そのもので実にわかりやすく、今回の集団的自衛権容認の経過を述べており、その上で、今回の政府見解では明記されていない米艦保護、機雷除去、ミサイル防衛など8つの事例すべてに対応できるとしている。さらに国連決議に基づく掃海などを可能にする余地を残したことを評価している。

(4) そして、行使の範囲を狭めすぎると自衛隊の活動が制約され、せっかくの憲法解釈の意義が損なわれると指摘している。今回、公明党はできうる限り行使の範囲を狭めようと強力に主張した。今後もこれらの件については、確かに、十分な意見の一致をみておらず、蒸し返されるおそれがある。

(5) 大体与党の公明党に問題があるのは、政界進出の際、「政教分離」を標榜したにもかかわらず、実際には創価学会の力が未だに大きく、本当に「政教分離」となっていない点が問題だ。「政教分離」が最も必要な分野こそ国防、安全保障である。それなのに公明党は「平和の党」と称して学会の宗教心（おいのり）を基に集団的自衛権行使の軍事的抑止力についてブレーキをかけ続けており、これでは連立を維持することはできない。自公の連立には問題が多過ぎる。

(6) また「戦争への道を開く」という左翼、リベラル勢力による主張を扇動、批判し、さらに、PKOに限定せず自衛隊の海外派遣全体に対する恒久法の制定にも言及している。そして年末に改定する日米防衛協力指針（ガイドライン）には「集団的自衛権の容認や『武力行使との一体化』の見直しを指針に反映すべきである」と指摘している。

(7) 最後に、今回の「閣議決定」は、早急過ぎたのではないか、との批判もある。国民の大半は正直にいって、この内容を十分には把握していないと思う。ましてや朝日、毎日などの的外れの扇情的な、例えば「戦争ができる国」「民主主義の崩壊」「徴兵制度の復活」などの記事に惑わされているきらいがあるので、安倍首相は国民に直接語りかけたりして十分な理解を得るべきと思う。

第四章 産経新聞の社説要約

◆第1節 「助け合えぬ国」に決別を 日米指針と法整備へ対応急げ

(1) 戦後日本の国の守りが、ようやくあるべき国家の姿に近づいた。

(2) 今回の集団的自衛権の容認閣議決定は、日米同盟の絆を強め、抑止力が十分働くようにするものである。それにより、日本の平和と安全を確保する決意を示したものである。自民党は長期政権を担いながら、やり残してきた懸案を解決した。この意義は極めて大きい。

(3) 安倍首相が行使容認を政権の重要課題と位置付け、大きく前進させた手腕は高く評価される。閣議決定は自国が攻撃を受けていなくても、他国への攻撃を実力で阻止する集団的自衛権の行使を容認するための条件を定めた。さらに有事に至らない「グレーゾーン」への対応、他国軍への後方支援の拡大を含む安全保障法制を目指す方針もうたった。

(4) 安倍首相が説明するように、今回の改革でも日本が湾岸戦争やイラク戦争に参加することはない。しかし、自衛隊が国外での武器使用や戦闘に直面する可能性はある。これは、どの国でも負うリスクである。積極的平和主義の下で、日本の平和構築に取り組もうとする観点からも、避けては通れない行使容認を「戦争への道」と結びつける反対意見が多いが、これはおかしい。厳しい安全保障環境に目をつむり、抑止力が働かない現状を放置することはできない。仲間の国と助け合う体制をとって抑止力を高めることこそ、平和の確保に重要である。行使容認への国民の理解は不十分であり、政府与党は引き続き、その意義と必要性を丁寧に説明することが求められる。

(5) 重要なことは、今回の閣議決定に基づき自衛隊の活動範囲や武器使用権限などを定めるなど、新たな安全保障法制の具体化を実現することだ。関連法の整備は、解釈変更を肉付けし、具体化するために欠かせない。政府は、集団的自衛権への国民の理解を高めるためにも関連法の提出をできるだけ早め、成立を目指してほしい。また付け加えるならば合意の際に付けられた条件、制限が過剰になって自衛隊の手足を縛り、その活動を損なうものであってはならない。

(6) 憲法解釈の変更という行使容認の方法について「憲法改正を避けた」という批判もある。しかし、国家が当然に保有している自衛権について、従来解釈を曖昧にしてきたことが問題なのであり、それを正すのは当然である。

(7) 同時に、今日解釈を変えたからといって、憲法改正の核心である9条改正の必要性が減じることはいささかもない。自衛権とともに国を守る軍について、憲法上明確に位置づけておくべきである。

(8) 今回の改革を日米両政府は、年末に改定する日米防衛協力の指針（ガイドライン）に映させるという課題がある。朝鮮半島有事への備えに加え、南西諸島防衛など、中国にも対処できる内容にどれだけ変えられるかが焦点となる。

(9) 考えていかなければならないのは、日本が生き残っていく上で必要な安全保障とは何か。アジア太平洋地域の安定を含め、日本は国際平和をどう実現していくべきなのか。政治家も国民も共に考え、日本がより主体性をもって判断すべき時代を迎えている。

◆第2節　産経新聞社説に対する感想、意見

(1) 日頃、産経新聞の論調こそ我が国を導く指針と思っているが、今回の集団的自衛権行使に関する解釈変更閣議決定について、社説は見出しから「積極的平和への大転換」と安倍政権の基本政策すなわち抑止力の強化、我が国の平和と安全確保という政策を全面的に後押しする内容で首相の決断を擁護している。

(2) 自民党政権は、長期にわたり政権を担当していたにもかかわらず、集団的自衛権を含め憲法改正問題には惰眠をむさぼり続けていた。ようやく長年にわたる懸案を大きく前進させた安倍首相の手腕を高く評価するものである。

(3) 閣議決定は、自国が攻撃を受けなくても他国への攻撃を実力で阻止する集団的自衛権の行使を認め、さらに有事に至らない「グレーゾーン」への対応や他国軍への後方支援の拡大を含む安全保障法制を目指す方針を謳ったが、尖閣諸島のおかれた現状を考えると、まさに遅きに失したきらいさえある。

(4) 首相は今回の改革において日本は湾岸戦争やイラク戦争には参加することはないと説明

しているが、今後海外に展開した自衛隊が武器使用や戦闘に直面することもあるとしており、これは当然のことと考える。

(5) 日本は今までが余りにもリスクを負わない一国平和主義に埋没した異常な状態だったのだ。平和のためには、それなりのリスク、コストは必要ではないか。読売新聞に対する感想のところで述べたが、今回の改革については、見方によれば、先を急ぎ過ぎたきらいがあるのかもしれない。

朝日をはじめとするとする左翼マスコミは、ここを先途に理由のない攻撃を安倍首相に浴びせているが、ここは、十分に国民にもう一度わかりやすく丁寧に説明すべきではないか。

筆者は不幸にして知らないのだが、ＮＨＫのテレビがこの件に関し「首相が率先国民に説明し、理解を求めることは難しいのだろうか。米国大統領ルーズベルトは１９３３年からラジオではあったが『炉辺談話』として国民に直接語りかけ、国民の信頼と団結を獲得した」と報じたという。

(6) もう一つ今回の与党合意の中で付けられた条件、制約は、今後できるだけ、はずしていく必要がある。そうでなければ折角の解釈変更の中で自衛隊の活動を縛ることになるからである。そういう意味で、今後、自公連立が日本のためになるのかどうかは疑問である。

(7) 最後に社説に述べられているように、我々が目指すのは憲法改正であり、今回の解釈変更はそれに至る一里塚にすぎない。

第五章　日本経済新聞の社説要約

◆第1節　助け合いで安全保障をかためる道へ

(1) 大国の力関係が変わる時、紛争を封じ込めてきた重石が外れ、世界の安定が揺らぎやすくなる。平和を保つため日本に何ができるか、問い直す時にきている。

(2) 安倍政権は従来禁じられてきた集団的自衛権の行使を可能にした。戦後の日本の安全保障政策を大きく変える決定である。

(3) 「海外の戦争に日本も巻き込まれかねない」といった不安も一部からは聞かれるが、しかし日本、アジアの安定を守り、戦争を防いでいく上で今回の決定は適切である。国際環境が大きく変わり、今の体制では域内の秩序が保ちきれなくなっているからだ。

自国が攻撃されなければ、一切武力を行使しない。親しい国が攻撃され、助けを求めてきても応戦しない。我々はこの路線を貫いてきた。これで平和を享受できたのは、同盟国である米国が突出した経済力と軍事力を持ち「世界の警察」を任じてきたからである。

(4) 日本の役割は基地を提供し、後方支援にとどまっていた。しかし現状は中国をはじめ、他の新興国が台頭し、米国の影響力は弱まり、世界の警察官の役割を担えなくなっている。

(5) 経済力では主要7か国の世界のGDPに占める割合は2000年の66%から2013年には47%となり、軍事力では、中国の軍拡は急ピッチで東シナ海、南シナ海での米国優位は崩れようとしている。米中の国防費は2030年には逆転するとの説もある。その辺を読んで中国軍のアジア海域での活動は活発化している。北朝鮮の核、ミサイル開発も米国の威信の衰えと無縁ではあるまい。

(6) であるから、米国の衰えをカバーするため他国はその役割を補っていかなければならない。具体的には、米国の同盟国である日本は、友好国である韓国、オーストラリア、アセアンなどの諸国と手を携えてアジア太平洋地域に安全保障のネットを築き、中国と向き合っていかなければならない。

(7) 日本は米国とこの構想を進め、他国と助け合い、平和を支える道を歩む時である。そのためには、集団的自衛権を行使できるようにしておく必要がある。世界の現状をみると今や一国平和主義は幻想である。

(8) だからといって、安倍政権はここまで急いで集団的自衛権の行使容認に関して閣議決定をする必要はなかった。

(9) 政府は行使の条件として「国民の生命、自由、幸福追及の権利が根底から覆される明白な危険がある時」と定めたが、慎重派の公明党との妥協を急ぐあまり「過度に制約のある内容」になってしまったとの批判もある。

(10) さらに実際の行使に当たり「何をどこまで認めるか」といった事例ごとの議論は、ほとんど深まらなかった。これでは有権者の理解は得られないばかりか不安も広がりかねない。公明党の難色により先送りされた、国連の集団安全保障への対応についても検討を急ぐべきである。政府与党は、近く行使の具体的手順や歯止めを定める法律の整備に取り掛かる。肝心なことは、抽象論ではなく具体的な事実を明示して、一般の有権者ともわかりやすく熟議を重ねてほしい。

⑾　この問題は10年20年先の我が国の行方を左右するテーマだ。政権が交代するたびに路線が変わるようなことがあってはならない。その上で強調したいのは、他国との対立を外交で解決することの大切さである。集団的自衛権の行使に至らないよう努力することこそ肝心である。

◆第2節　日経新聞社説に対する感想、意見

⑴　実はこの評を書く前にある評論家が日経の社説について「唯一、日本経済新聞の扱いはクールだ。特段に社としての賛否を明確にすることなく、事実だけを伝えるにとどめている」と評していたので正直余り期待していなかった。しかし本稿をおこすために再読したところ評は全く的外れであることがわかった。

⑵　同社の考え方はストレートに伝わってくるし、今回の閣議決定の問題点の指摘もわかりやすい。

⑶　先に述べた4社の社説（朝日、毎日は問題外だが）と比較して、遜色ない。

⑷　閣議決定を急ぐあまり、公明党を意識し過ぎて妥協して制約の多い点を指摘している点、「何をどこまでみとめるか」など、曖昧な点は指摘のとおりである。公明党は、与党の居心地のよさをまさに満喫しているが、与党の一翼を担うからには、口先だけの平和ではなく、我が国の真の独立と平和を守るため、「学会」の意見に振り回されるのではなく、もっと真剣に取り組んで欲しい。

(5)　また、この問題は10年先20年先の日本の行方を決める重要な問題で、政権交代により簡単に変わる問題ではないとの指摘は全くそのとおりである。

第6話

「ダイエー」の消滅と産業再生機構

流通革命の歴史は中内功氏の一里塚

2014年10月23日

9月23日の朝刊で、スーパーマーケットの雄ダイエーが、平成27年1月1日をもってイオンの完全子会社となることが報じられた。ダイエーの名前が消滅することは、我々若い頃からダイエーの名前に親しんできたものにとっては一抹の寂しさを禁じ得ないものがある。

ダイエーといえば戦後の小売業界において「カリスマ」「流通王」といわれた中内功氏に率いられ、流通革命をおこした企業であり、彼の強引なまでの手法は、良きにつけ、悪しきにつけ、時代を画したことは間違いない。ダイエーを語る場合、中内氏抜きには考えられないのである。読者の大半の方は、ダイエーの歴史すなわち中内功氏の足跡をよくご存じのことと思うが、この際、会社の成り立ちすなわち中内功氏について簡単に振りかえってみたい。

第一章　我が国の消費者志向の流通革命の旗手だった中内氏

◆第1節　戦争の飢餓体験が物質的豊かさを追求する原動力に

中内氏の「売上はすべてを癒す」という言葉をご承知と思うが、この言葉こそ中内氏そのものを表している。彼は、戦後の我が国におけるスーパーマーケットの黎明期からその立ち上げに関与し、近年、我が国が求められた消費者主体型の流通システムを代表するダイエーを中心とする商業施設の普及と拡大に努め、我が国流通革命の旗手として大きく貢献した。

彼は、1922年生まれであるから文字通り戦争の中にどっぷりと漬かった世代である。神戸高等商業学校（現兵庫県立大学）を卒業後、日本棉花（後のニチメン）に勤めるが、翌年応召され、当初は満州、ソ連国境に駐屯したが翌1944年フィリピンへ転属となり、ルソン島のリンガエン湾の守備に赴く。1945年玉砕命令が出され死を覚悟するが、当時の司令官山下大将のゲリラ戦への方針転換により、幾多の辛酸をなめ、辛うじて生き延びる。1945年8月米軍に投降して捕虜となるが、11月に奇跡的に生還する。

この死線をさまよった戦争体験が、その後の彼の人生観に大きな影響を及ぼすのである。前後するが、彼の父親は、鈴木商店を経て神戸で薬屋を経営していた。その縁で復員後1948年に元町の高架通りに彼も薬屋を開業するが、同時に当時の儲け口であった闇商売にも手を染めていったようである。

その後、次弟の設立したサカエ薬品（株）が大阪につくった医薬品の現金問屋サカエ薬局に勤務したが、1957年9月、大阪千林に医薬品や食品を安価で薄利多売する「主婦の店ダイエー薬局」（ダイエー1号店）を開店した。翌年、早くも神戸三宮にチェーン化、第1号店（店舗としては2号店）となる三宮店を開店した。中内氏が考えたのは、彼の言葉にあるとおり「人の幸せとはまず物質的に豊かさをみたすこと」である。これはフィリピンにおける日本軍と米軍との物量の差と飢餓体験から生まれたものである。ここからダイエーの「良い品をどんどん安くより豊かな社会」という企業理念が生まれた。

◆第2節　豊かさを価格破壊で追及へ

中内氏の商法は時代にマッチして急速に拡大していく。彼は「価格決定権をメーカーから消費者に取り返す」、「いくらで売ろうともダイエーの勝手で、メーカーには文句を言わせない」との姿勢を貫き通した。メーカーの協力が得られない場合は「自らは工場を持たないメーカー」として独自のオリジナルブランド、すなわちプライベートブランド（ＰＢ）の商品開発を推進した。しかし、このことは同時に既存大手メーカーとの軋轢を生むことになった。1964年松下電器産業（現パナソニック）との間で起こったテレビの値引き販売を巡る激しい争いは「ダイエー、松下戦争」として知られ、この争いは松下幸之助氏が亡くなるまで続き、30年戦争といわれた。その他の価格破壊では食品があげられる。ここにも中内氏の戦争体験が反映している。

フィリピンで生死の間を彷徨していた時「もう一回すき焼きを腹一杯食べたい」と思った経験から、前記の企業理念が生まれたのであるが、その理念の実現に向け、彼は邁進する。

例えば、牛肉についてであるが、当時一般の店では100g当たり安くても70円であった。ダイエーはこれを39円という思い切った値段で販売したところ売り切れが続出して、普通なら欠品状況になるところであったが、彼は周到な手を打っていた。

本土復帰前の沖縄には輸入関税がかからないことを利用して、オーストラリア産の子牛を輸入して、これを沖縄で育てて日本国内に輸入するといった独自の手を打っていた。

◆第3節　創業僅か15年で小売業売上高のトップに、さらに多角化進めた

まさに、彼のやり方は時代にマッチして、躍進に次ぐ躍進を重ね1972年には当時の流通業界の王者三越を抜き、小売業売上高の頂上をきわめる。さらに1980年には、我が国初めて小売業界で売上高1兆円を達成する。また次々と多角化を進め、ファミリーレストランのフォルクス、コンビニエンスストアのローソン、百貨店のプランタン銀座などを次々と展開していった。さらにリクルートやユニード、忠実屋などを買収し、1981年には高島屋との提携を目指し、その株式の10・7%を取得したがダイエーによる乗っ取りを警戒した高島屋側の強い意向により白紙撤回を余儀なくされた。

第二章　中内ダイエーの20年間の絶頂期と10年間の没落期

◆第1節　連結赤字を克服して絶頂期へ

1983年には3期連続して連結赤字となり、ヤマハの社長を勤めた河島博氏を招き業績

をV字回復させた。1988年初めには南海ホークス球団を買収してプロ野球業界に参入、福岡ダイエーホークスを誕生させ、さらに東京ドームをしのぐ福岡ドームを建設する。また、同年4月、長年の悲願であった流通科学大学を神戸の学園都市に開学させ、9月には新神戸駅前にホテルや劇場、専門店街が一体となった商業施設「新神戸オリエンタルシティ」を完成させた。さらに、1991年には流通業界を代表して初めて経団連の副会長に就任した。おそらくこの時期が彼の絶頂期ではなかったかと思われる。

「閑話休題」

ちょうどそのころ大和紡績（現ダイワボウホールディングス）の社長に就任したばかりの私は、ダイエー主催のある会合に出席したことがあった。若輩の私は、一納入業者の代表として中内さんにご挨拶させていただいたのであるが、多数の参加者が入れ代わり立ち代わり挨拶に参上する中での「その他一人」にすぎない私ではあったが、中内氏の態度は、公平に見て「そこに名刺をおいておけ」といった様子で、大変礼を失しており感じが悪かった。見かねたある生活用品の創業者社長がとりなしてくれたので、やっとお話をさせて頂いたのを覚えている。

◆第2節　バブル崩壊、消費者の品質志向への変化、ワンマン体制の弊害により凋落の道へ

しかし、ワンマン創業者にありがちなことであるが、息子達に跡を継がせたいことなどを巡り、中内氏と苦楽を共にしてきた人材や部下などとの関係が微妙となり、多くの優秀な人材が会社を去って行った。そして、これもおきまりのことではあるが、周囲を自分のいうこ

とを聞くイエスマンで固めるなどワンマン体制の弊害が顕著となり、ダイエー凋落の一つの原因となった。1990年代後半となりバブル景気が崩壊すると、地価が暴落し、地価上昇を前提として成り立っていたダイエーの企業モデルは傾きはじめた。店舗の立地が時代に合わなくなり、業績の低迷が始まった。さらに、中内氏自らが力を入れていたアメリカ型ディスカウントストアのハイパーマートが失敗に終わり、さらに、消費者の意識もただ単に「安さ」から「品質」に変化し、家電量販店などの専門店も出現し、ダイエーの領域を侵食するようになった。まさにダイエーは徐々に時代から取り残されていった。

◆第3節　阪神大震災がさらに追い打ち、遅すぎたが誤りを認めて潔い退任へ

1995年1月17日、阪神淡路大震災が発生する。中内氏はすぐさま物資を被災地に送るよう手配し、物価の高騰を防ぎ、その安定に貢献したが、関西発祥のダイエーは被災地にあった主力店舗が大きな被害を受け、甚大な金銭的損害を被った。このことは、バブル崩壊の中で業績が低迷していたダイエーの凋落に拍車がかかったのである。2001年彼は「時代は変わった」とダイエーを退任した。遅すぎる退任であった。

ダイエーのすべての部門において問題が露わになっていた。最後の総会では厳しい質問が続き、大荒れとなったが彼は勇退の言葉として自分の過ちを認めた後、総会がまだ終わっていないにもかかわらず降壇してしまうという一幕もあり、一部の株主から「これでは中内さんが余りにも可哀想だ」という声が上がり「拍手で送ろう」という声も出て、再登壇した彼は満場の拍手が鳴りやまぬ中を退場したのであった。

その後は、私財を投げ出して創った流通科学大学の運営に専念したが、2004年には、芦屋と田園調布にあった豪邸と所持する全株式を売却し、私財からダイエー関連の資産を一掃し、ダイエーとは完全に決別したのであった。

2005年9月19日神戸の病院でその前の月に患った脳梗塞のため意識の戻らないまま83歳で死去した。逝去後、芦屋や田園調布の屋敷は、すでに彼の手から離れていたため、遺体を戻す自宅がないまま、大阪の菩提寺に搬送され、近親者だけの密葬となった。まことに、中内氏らしい、すべての責任をとったあとでの潔い最期であった。

第三章　産業再生機構の大きな罪

◆第1節　自力での再建途上に、産業再生機構の恰好の餌食に

中内氏が去った後のダイエーがどうなったかであるが、彼の退陣後、社長に就任したのは高木邦夫氏で、高木氏はダイエー生え抜きの人材であった。以前のダイエー危機に際しても中内氏を助け、復活に貢献した人物であった。その後リクルートの再建に派遣され、見事にその責をはたしたのであるが、再び呼び戻され社長に就任したのであった。高木氏は就任後大車輪の活躍で、債権放棄はあったが、2兆円の有利子負債をわずか1年で1兆円まで減らし、経営そのものについても総合商社の丸紅と提携するなど順調に経営を立て直しつつあった。メインバンクもその成果を認め、あえて不良債権にしなかったが、金融庁には、小泉首相、竹中金融相の主導する金融再生プログラムがあって、銀行の不良債権の比率を8・4％から

4・2%にまで減らすという大方針が打ち出されており、一方不良債権を買い取り、価値のある経営資源を持ちながら過大な債務を負っている事業者に対して事業の再生を支援することを目標に「産業再生機構」が設立されていた。金融庁は、ダイエーに対する債権を強制的に再生機構に移すよう働きかけたのである。こうすることによりダイエーに対する銀行の不良債権を公的資金に肩代わりさせ、銀行の不良債権が減るわけである。再生機構の不良債権の買い取り枠は10兆円もあり、ダイエーは恰好のターゲットであった。2004年に丸紅が貸出債権を買い取り、再建を後押ししていたのである。丸紅がダイエーの再建に本腰を入れていたにもかかわらず、政府は自らの不良債権比率削減目標を達成し、小泉政権の成果を強調したいがためにダイエーの不良債権を再生機構に買い取らせ、ダイエーを再生機構に組み込んだのである。菊池英博氏は「ダイエーは、金融不安を引き起こす状況ではなかったのであるから、再生機構が介入する理由は全くなく、ダイエーにまかせておけばよかった」と指摘している。ダイエーは再生機構が介入した過程で店舗不動産を売却して、巨額な有利子負債の返済に充当してきた。その上売却した店舗を借り受けるリースバック方式で営業を継続した結果、老朽化した建物に高い賃料を支払い続けている店舗が少なくない。これが収益改善の足を引っ張り続けているのである。

◆第2節　カネボウに対しての再建手法にも疑問

これも目先ばかりを追い求めた再生機構の負の遺産である。大体再生機構の手掛けた物件は表面を糊塗することに汲々として、結果を取りつくろったケースが多いのである。ダイエーと並んで再生機構のもとで再建に取り組んだカネボウでも、資産で売却できるものは文字どおり片端から処分した。カネボウの場合は最終的には粉飾決算が命取りではあったが、ドル箱の化粧品を持ち、繊維部門でも多くの有力な経営資源があったはずである。それをあそこまで簡単に解体したのが、良かったのかどうかは、はなはだ疑問である。再生機構には、それなりに時代の要請があったことは理解できるが竹中流の余りにもドラスチックな手法は、今回のダイエー消滅に繋がるわけで、本当に産業再生の役割を果たしたのかどうかは多いに疑問を持つところである。

それにもかかわらず、当時再生機構の代表をつとめた富山和彦氏が、産業再生機構を成功に導いた企業再生のスペシャリストとしてもてはやされ、いまだに各所に大コンサルタントとして登場していることには納得がいかないのである。

経営難に陥った弱者を、官を背景に有無を言わさずおこなった産業再生機構の行為は、改革、再生の名に全く値しない。企業の再生改革は、もっと地道でかつ血の通ったものでなければならない。

◆第3節　遂にダイエー屋号の消滅の結末へ

ダイエーについては、2006年丸紅が44・6%の株式を再生機構から買戻し筆頭株主となるが、翌年イオンが第2位の株主となり、2013年にはイオンの連結子会社となり、イオンの指導のもとに再建に努めてきたのであるが、今回イオンは、平成27年1月1日付けでダイエーを完全子会社にすると発表した。本年12月26日をもってダイエー株は上場廃止となる。イオンの岡田社長は「ダイエーの屋号はなくなる。しかしダイエーという会社は残る。これからの戦場は電子商取引で、このような場でイオングループが多くのブランドに分かれているのは不利である」「今後ダイエーは首都圏と京阪神の食品を中心とした事業に特化し、グループの中核としてやっていってもらう」と言っている。

■おわりに　時代を超えて生き続ける中内功氏の経営哲学

時代を画した風雲児中内功氏のダイエーの消滅には感慨深いものがあるが、これも一つの時代の流れなのであろう。しかし、中内氏のスーパーマーケットにかけた「よい品をどんどん安くより豊かな社会」という哲学は時代を越えて生き続けると信じている。

第７話

日本の農業問題

衰退した日本農業、知らなさすぎる諸問題

２０１４年12月25日

我が国の農業が、衰退の一途をたどっているといわれて久しいが、マスコミも思い出したように断片的に取り上げるだけで、本当に国民各位が、どれだけその実情について把握しているかは、極めて疑わしいのである。

第一章　衰退した日本農業の知らなすぎる問題

◆第１節　後継者不足

現状における日本の農業は、さまざまな問題を抱えている。大きな問題が幾つかあるのであるが、一つは農業就業人口である。すなわち、少子化による後継者の不足は深刻で、２０１３年度の就業者人口は、２３９万人で内65歳以上の比率は61・８％に達しているが、39歳以下はわずか４％にすぎない。その結果、平均年齢は66・２歳となっている。農林水産省の統計によれば、今から約30年前の１９８５年では農業就業者は、５４３万人、60歳以上

は19・5%であった。

◆第2節　農地の減少

次の大きな問題は、農地が減り続けていることである。具体的には、1965年には600万ヘクタールあった農地が2013年には、453万ヘクタールにまで減少している。

◆第3節　耕作放棄地の異常な増加

農地減少に加え大きな問題となっているのが、耕作放棄地の異常な増加である。耕作放棄地とは、1年以上、作物を栽培せず、再び耕作の見込みがない農地をいうのであるが、2010年の統計では39・6万ヘクタールで、放棄地率は10・6%と我が国全体の面積の1%にもなっており、これは埼玉県の面積に等しいのである。耕作放棄地が増えているのは、高齢化と後継者不足が主な原因であるが、決してそれだけではない。米の生産数量を抑える国の減反政策の影響の他、農地の宅地転用への期待などから、農地を相続しても、耕作せずに放置したままの農家が少なくないことも、その理由である。

第二章　市場原理を無視した米の強制的減反政策の失敗

◆第1節　強制的一律減反とミニマムアクセスによる在庫増の誤算

このような農業の情勢に追い込んだ最たる理由は、何といっても国による米の減反政策にある。この制度は、1970年代から始まり、米の強制的な生産調整を一律減反により行うものであり、我が国の農業の現場に深い爪痕を残して現在に至っている。近年、特に減反が強化された1997年から8年における道筋については、複雑すぎて理解しにくいのであるが、かいつまんで説明すると、1997~8年に関税を簡素化するウルグアイラウンドにおいて、米の例外なき関税化を延期する代償として、米の他品目よりも厳しい輸入枠としてミニマムアクセス（最低限輸入義務）を受け入れたのであるが、このミニマムアクセスで輸入した米が売れ行き不振で、在庫が急速に過剰となったため政府は急遽、減反面積目標を、2年間田んぼの総面積267万9000ヘクタールの36％、96万3000ヘクタールとし、この減反を促すため、減反農家に米の値下がりによる減収分の8割を補填するなどの政策がとられてきたのである。

ところが政府の意図に反し、ミニマムアクセスによる輸入米が足を引っ張り、在庫は減少しなかった。当然ここに減反施策の限界を露呈してしまったのである。

◆第2節　巨額の税金投入へ

このように、農家の「稲作経営安定政策」と「米自給安定対策」が実施されたのであるが、これは端的にいうならば、米余りには減反拡大、減反による農家の減収には、補償金を支払うものであり、ミニマムアクセス米の在庫拡大の問題が起こった97年、98年の2年間では、5000億円という巨額な税金が投入された。この減反強化には各地の農家、農業協同組合から「日頃食糧自給を唱えながら、無理やりに田んぼをつぶせというのは、従来からの当局の姿勢と矛盾している」という強い反対の声も上がったのであるが、国はこれらを一切無視して減反を強制したのであった。「自主選択での減反」を国は標榜しておきながら、実際には「目の前に人参をぶら下げて食いつかせるという」露骨な農政パターンがこの時でき上がったのではないか。

◆第3節　市場メカニズムに反する減反の矛盾、ようやく30年で幕へ

ところが、関税化を阻止するために作られたミニマムアクセスが、1999年に米の輸入についての関税化を政府決定してしまったため、市場メカニズムの中での強制的な減反政策は、辻褄があわなくなってしまった。まさにその場しのぎの場あたり的な強制的な減反政策は30年経過して、このまま幕を引くのか、本来の自主的な選択による減反に立ち返るのかについては、農協組織と地方自治体の利害が対立して、この後どうなっていくか、今大きな曲がり角にたっている。そのような中で昨年安倍政権は減反廃止へ舵をきった（後述）。

第三章　世界最低の食料自給率と最大の食糧輸入国の現状

◆第1節　食料自給率のふたつの定義

一方、重要な数字として食料自給率がある。2005年の統計によると主要国の「カロリーベースによる食料自給率」は、アメリカ123%、ドイツ85%、フランス129%、イタリア70%、オランダ62%、英国69%、カナダ173%、オーストラリア245%、スペイン73%、

韓国45％、日本40％（2010年は39％）となっている。カロリーベースとは余りなじみのない用語であるが、これを単独で公表しているのは日本のみで、あとの国の数字は農林水産省の試算である。カロリーベースとは、「国民一人一日当たりの国内生産カロリー÷国民一人一日当たりの供給カロリー」で表すが、国民一人一日当たりの供給カロリーとは、「国産供給カロリー＋輸入供給カロリー＋ロス廃棄カロリー」の合計である。

もう一つ生産額をベースとする「総合食料自給率」というものがある。これは、「国内の食料総生産額÷国内で消費する食料の総生産額」で表す。一般にはこの数字が公にされているのだが、よく理由はわからないが、我が国ではカロリーベースがまかりとおっている。

◆第2節　カロリーベースで40％、総合食料自給率で69％はなぜか？

日本は世界最大の食糧輸入国で、いささか古いが2008年の統計では、輸入額約5兆6000億円で、実に世界全体の10％をしめている。自給率はカロリーベースで40％（2010年で39％）と先進国では最低である。しかしながらカロリーベースに基づく自給率には問題が多く、実際の需給を反映していないとの考えが有力で、生産額ベースによる総合食料自給率は69％となっている。

◆第3節　カロリーベースの自給率が低いのはロス廃棄率が大きいから

カロリーベースによる食料自給率で、一番問題となるのは国民一人一日当たりの供給カロリーの中のロス廃棄カロリーで、我が国の場合「スーパーなどの小売店に並びながら」「食卓にのぼりながら」食されることなく廃棄されてしまうものが諸外国にくらべ膨大で、実に年間900万トンにもなっており、単にカロリーベースの自給率が低いということで、悲観することはないのではなかろうか。すなわち食料自給率が本当に低いのかは我が国においては疑問が残るところで、廃棄率が異常に高いのは、過剰品質の追及、外見に重きを置きすぎる品質基準や製造年月日に過敏すぎる消費者の態度などがあげられる。また国際紛争のため食料の輸入が途絶えることがよく心配されているが、重油のような戦略商品と違い、それほどおそれることはないのではないか。

第四章　日本農業再生のための諸施策は如何？

◆第1節　大手企業による農業参入の促進

そこで、前記のように大きな問題を抱える日本農業を、いかに再生するかについて、いろいろな改革が進められている。その改革の柱となるのが農業への参入促進である。政府は長年にわたり、農家を保護するため、企業が農業を手掛けることに厳しい制限を設けてきた。しかし、1990年代以降、企業が農業に参入しやすいように、段階的ではあるが規制を緩和してきた。資金力と経営力を持つ大手企業の参入を促すことで、高齢化や後継者不足により、衰退していっている農業の活性化が狙いであった。具体的には、農地法で定める農地を取得できる農業生産法人への有限会社などの出資が可能になり、2001年には株式会社も許可されるようになった。さらに03年には特定地域に限り、農業生産法人を設立せずに企業が農地を借りられる農地リース方式が導入された。この制度は05年に全国に拡大され、市町村が認める地域で企業が農地を借りられるようになった。09年には農地法が改正され、農地リース方式が全国どこでも可能となり、リース期間も20年から50年に延長された。また農業生産法人への、企業の出資比率も10％以下から上限が50％未満に引き上げられた。このような規制緩和により、農業に参入する企業は着実に増加している。すなわち、改正農地法施行前（03年4月～09年12月）に436の法人参入であったものが、同法施行後（09年12月～13年6月）では1261法人となった。参入企業は多種多岐にわたっているが、食品関連産業や大手流通グループが目立っている。

◆第2節　農業生産法人の設立

一方、相次ぐ企業の農業参入に対応して、複数の農家が、共同して農業生産法人を設立する例も増えている。農地を集約することによって生産性を高め、資金やノウハウを集めて、加工や販路の開拓を目論むものである。すなわち、従来の農協を経由する販売から、独自の販路を自助努力で開拓する試みである。これらの大胆な改革によって、日本の農業が停滞から活力を取り戻すチャンスが到来したと思われる。

◆第3節　安倍政権の農業改革の課題

(1)　成長戦略に位置づけられるも、TPPとのジレンマ克服が必要

安倍内閣は、農業を成長分野に位置付け、昨年6月に決定した成長戦略では20年の農林水

産物輸出額を12年の倍以上の1兆円にするという目標を打ち出した。また、農地の集約推進を施策の柱にすえた。具体的には、都道府県が設立する「農地中間管理機構（農地バンク）」が、零細農地や耕作放棄地を借り上げて集約、整備して農業生産法人や大規模農家に貸し出す制度を検討している。狙いは生産性の向上と競争力を高めることである。このように、安倍政権は農業への企業参入を積極的に促し、意欲的な農家をバックアップしようとしているが、ここで問題となるのが、現在交渉中のＴＰＰ交渉の行方である。仮にＴＰＰ交渉が妥結して、関税が大幅に引き下げられれば安価な農産物が流入し、国内農業が大打撃を受けるおそれがある、しかし米国との関係その他太平洋を囲む諸国と、あるいは次のアセアン諸国との問題を考えていくならば、早晩ＴＰＰの妥結は、日本の国益を考えるならばやむをえない必然となる。一部の反対を乗り越えＴＰＰを締結して、その中で日本の農業の強化、存続を図っていくことこそ政治の使命と考える。

⑵　５年後の減反制度廃止

また、安倍政権は13年11月、ついに米の生産調整（減反制度）を２０１８年に廃止する方針を決定した。減反制度は、米の過剰生産による値崩れを防止するため、国が生産量を制限するもので、前述のとおり１９７０年に始まり、現在政府が定めた生産量を守った農家には田んぼ10アール（１０００平方メートル）あたり年額１５０００円の補助金を払い、その上、米の市場価格が基準価格を下回った場合には、さらに補助金を支払っている。これらの補助金を段階的に削減、廃止するとしている。減反制度は農家の雇用や収入に寄与してきたことは否定しないが、反面生産量を増やす技術開発や品種改良が進まず、我が国農業の競争力低下の元凶であった。減反制度をなくせば、米作りをやめる零細農家が増え、農業生産法人や大規模農家への農地集約加速が期待される。

(3) 関連するその他の課題

他にこれら一連の改革にも幾つもの課題をかかえている。

①例えば農地集約を促す新制度の導入にも、宅地などへの転用を期待する農家が農地保有に固執し、制度が期待通り進まぬ可能性がある。

②減反制度の廃止についても、主食用の米資産に対する補助金は、段階的になくなるが、飼料用の米などへの転作補助金は逆に増えるため、政府が意図する農地集約は停滞するおそれがある。また減反廃止で米の価格が下がれば、大規模農家の経営が不安定となるジレンマがある。また、一連の農業の規制緩和についても極めて甘いとの指摘がある。

③一番問題となるのは、現状では企業は農地を直接購入、保有できず、期間限定の農地リース方式しか認められていない点である。これでは企業としては、長期的な経営判断に基づく経営は難しいと思う。企業側は保有の自由化をも求めているが、これは当然の要求である。しかし、現状では検討課題にとどまっている。このような中途半端な改革では、安倍政権の農業再生にたいする取組みが、はたして本気なのか気になるところである。

■おわりに　改革には有言実行あるのみである

いずれにしても、安倍政権は農業改革に手を染めたのであるが、農業を取り巻く状況は一筋縄ではいかない。農業は長年にわたる自民党政権を支えてきた大票田である。政治との関わり合いは、農業人口が減少した今日においてもなお密接である。加えて農業協同組合の力は今なお侮れない。安倍政権はこの力をそぎ落とそうとしているが、なお抵抗力は衰えていない。ＴＰＰ交渉の結果がどうなるかはわからないが、安倍政権は歴代の政権がタブーとしてきた農業改革に着手したのであるから、万難を排し日本の農業の再生に取り組んでほしい。

第８話

死刑制度について想う
先進国で温存しているのは米と日本だけ

２０１５年２月12日

最近新聞紙上で死刑制度について二つの注目される記事が載せられていた。一つは、内閣府が発表した２０１４年に実施の「基本的法制度に関する世論調査」である。もう一つの記事は。２月５日に報じられた、一審の裁判員裁判の死刑判決を高裁が破棄した強盗殺人事件２件の上告審で、検察側と弁護側双方の上告を棄却したとの報道である。

第一章　日本の死刑事情

◆第１節　死刑存続賛成派が８割を占める日本の国民感情

まず世論調査によると死刑制度については、「死刑もやむなし」とする回答80・3％であった。２００９年の前回調査では、容認の割合が過去最高の85・6％であったからその数字からはかなり低下しているものの80％が死刑容認である。「死刑は廃止すべきである」とする回答は9・7％で前回よりは4％増加している。死刑を容認する回答は過去増え続けていた。具体的には1994年が73・8％、99年が79・3％、04年が81・4％であった。今回の調査で「死刑もやむを得ない」と答えた理由は（複数回答可）「死刑を廃止すれば、被害を受けた人やその家族の気持ちが収まらない」が53・4％で最も多く、次いで「凶悪な犯罪は命をもって償うべきだ」52・9％「また同じような罪を犯す危険性がある」47・4％となっている。「死刑は廃止すべきだ」と答えた理由（同）は「裁判にもし誤りがあった場合、死刑にすると取り返しがつかない」46・6％が最多で「生かして罪の償いをさせた方がよい」41・6％となっている。今回の調査で初めて、仮釈放のない「終身刑」を導入した場合の死刑の存廃を問うたところ「死刑を廃止しないほうがよい」51・5％とする回答が「廃止するほうがよい」37・7％を大きく上回った。

◆第2節　裁判員裁判も死刑については過去の裁判例によるべきとの判決

次に上告棄却により高裁の無期懲役が確定した記事であるが、裁判員裁判の死刑判決破棄が確定するのは始めてのケースである。最高裁は、かねてから控訴審は裁判員裁判の判決を尊重するのが原則としてはいるが、死刑事案については過去の量刑傾向も重要との立場を示しており、今回も「死刑は究極の刑罰で、慎重かつ公平でなくてはならない。過去の裁判例を検討すべきなのは裁判員裁判でも変わらない」とした。裁判員裁判を巡っては「市民感覚」を裁判に反映させることが目的であったから、専門家の裁判官だけで審理する控訴審が裁判員による一審を覆すことが妥当かどうか議論の的になっていたのであるが、前記のように死刑については特に過去の判例を重視して慎重に判断すべきことを司法の姿勢として明確に示した。

◆第3節　世界では死刑制度は多数派

さて「死刑制度」を刑法の中に持つ国は、先進国ではアメリカと日本のみとよくいわれるが、２０１２年の国連の人口統計による世界諸国の人口規模ランキング上位10か国のうち８か国（中国、インド、アメリカ、インドネシア、パキスタン、ナイジェリア、バングラデシュ、日本）上位20か国の内13か国に死刑制度があり、死刑制度のある国の人口は、世界規模の人口規模単位では50％以上の多数派となっている。アメリカの場合は相当数の州で死刑は廃止されており、現在死刑制度を保持しているのは32州である。我が国においては死刑制度廃止を進める動きはあるが、前記のような世論調査の結果から見ても存続はやむを得ないと思う。死刑制度を廃止している国の状況をみると、釈放のない終身刑や併合犯罪に刑罰を加算していく制度がみられる。たとえば幾つかの犯罪に刑期を加算していくわけで、アメリカなどでは刑期が２５０年というのもある。

第二章　死刑制度の運用状況について

◆第1節　永山事件が死刑の判例基準に

さて、日本の死刑制度の現状をみると、我が国の刑法においては内乱罪をはじめとして殺人罪、強盗殺人罪など16の犯罪に死刑が適用されている。そして死刑判決を行う際には、昭和58年に永山則夫連続射殺事件で最高裁が示したいわゆる「永山基準」が死刑を適用する基準の判例になっている。「永山基準」とは犯罪の性質、犯行の動機、犯行態様（特に殺害方法の執拗性、残虐性）、結果の重大性（特に被害者の数）、遺族の被害感情、社会的影響、犯人の年齢、前科、犯行後の情状の9項目を勘案することになっている。

よく新聞などに永山基準のことが報じられるが、一体どんな事件だったのか振り返っておこう。この事件は、1949年生まれで北海道網走出身の永山則夫が1968年10月から1969年4月にかけて東京、京都、函館、名古屋で米軍から盗んだ拳銃により4人を射殺した事件であった。1969年4月（19歳10か月）東京で逮捕され、1979年東京地裁で死刑の判決を受けたが、1981年の東京高裁の控訴審においては無期懲役に一旦減刑されるが、1990年の最高裁の上告審において死刑判決が確定する。この判決で死刑判決について、前記の基準が示されたのであった。

◆第2節　永山基準にも例外あり

「永山基準」は絶対的なものではない。個々の事例について複数人を殺害したにもかかわらず死刑にならなかった例もあるし、一人殺害でも死刑判決がでた例もある。しかし、1990年以降は、被害者の人数が1人の場合には死刑になることはそれほど多くなかったが、2000年代以降は被害者が1人でも死刑になるケースがみられる。もう一つ少年法との関係であるが、少年法により18歳未満の年齢で犯罪におよんだ少年には死刑を科することはできないが、これまでは少年法が適用される20歳未満のものについても死刑判決は避けられる傾向にあった。すなわち、永山基準の枠組みでは、誰が考えても死刑以外の選択肢がない場合のみが死刑判決の対象となるという基準であった。

《例外を認めた光市母子殺人事件における正義実現》

ところが、近年話題となった光市の母子殺害事件、このあらましは1991年11月山口県光市で当時18歳1か月の少年が主婦とその乳児を殺害した事件で2000年3月の一審山口地裁判決は無期懲役、2002年3月の控訴審では広島高裁は検事の控訴を棄却した。被害者の父親でありかつ夫は「犯罪被害者の権利が何一つ守られていないことを痛感して」犯罪被害者の会を設立してその幹事となる。さらに犯罪被害者基本法の成立に尽力する。そして裁判の経過中死刑判決を望む旨強く表明し続けた。二審後も犯罪被害者の権利確立のため活動し、裁判に正義を求め続け、ついに2006年最高裁において広島高裁への差し戻し判決を獲得する。差し戻し公判は2000年5月に行われ、2008年4月死刑判決が言い渡された。2012年2月最高裁は差し戻し二審を支持して、被告の上告を棄却、死刑が確定したのであった。この判決は「特に酌量すべき事情がない限り死刑の選択をするほかがない」として、犯行時18歳であっても「年齢は相応の考慮を払う事情ではあるが、他の基準と総合判断する一事情にすぎない」という新たな判断の枠組みを提示した。このように裁判所は、基準を変えたといってよい。私は裁判所が正義を貫いたと思っている。それと同時に厳罰主義へ進みつつあることも事実であろう。また現状にそぐわない少年法の見直しも狙いがあったのではないか。

◆第3節　死刑執行を遅らせている再審請求

さて、現在我が国には死刑確定者が本年2月現在129名いる。内、麻原彰晃（松本智津夫）以下オウム関係者が11名を占めている。2002年から2013年の12年間の死刑判決確定者は150名でこの間の年平均は12・5名である。2000年の初めまでは年に20名以上の死刑確定者はいなかったが、最近はその数が増加している。死刑判決確定後6か月以内に、法務大臣は執行を命令しなければならない（刑事訴訟法475条2項）が、実際には死刑確定から執行までは数年以上かかるのがほとんどである。これは死刑囚が死刑執行阻止を狙い、再審請求や恩赦を乱発するせいでもある。法的には再審や恩赦を求めている死刑囚の死刑は可能で、過去においては死刑執行の例もあるが、現在では再審請求中の死刑囚に対する刑の執行は可能性がないようである。また犯人が複数存在し、なおかつ共犯者が逮捕されていないか、公判中の場合は、死刑確定者が証人として出廷する可能性があるため執行は行われない。昨年逮捕された長年逃亡していたオウムの容疑者の裁判がこれに該当する。さらに1950年代以降精神異常の疑いがあるまま死刑判決を受けた者や、冤罪を疑われながら死刑判決を受けた者については、執行が避けられる傾向が顕著になった。帝銀事件の平沢貞通はその最たるものである。

《帝銀事件の冤罪性について》

少し長くなるが「帝銀事件」とは、1948年（昭和23年）1月東京都豊島区長崎にあった帝国銀行（後の三井住友銀行）椎名町支店で発生した被害者が12名にも及ぶ毒物殺人事件で、後に日本画家平沢貞道が容疑者として逮捕された。何分旧刑事訴訟法の下における取調べで、拷問？による自白が決め手になり平沢が犯人とされたが、毒物に関する知識を全く持ち合わせていない平沢の犯行は無理ではないかともいわれ、真犯人は、旧陸軍関係者という有力な説もあった。１９５０年（昭和25年）東京地裁で一審死刑、１９５１年東京高裁で控訴棄却、１９５５年最高裁が上告棄却し死刑が確定した。その後平沢は再審請求17回、恩赦願い３回を提出したが受け入れられなかった。平沢は逮捕された時56歳で死刑が確定したのが63歳の時であり、極めて冤罪の可能性が強い事件で、何度か法務大臣の決裁直前までいったことがあったが死刑執行は引き伸ばされ、そのまま年を重ね、ついには法務当局も彼の獄死を待つようになっていた。長年宮城刑務所に収監されていたが、１９８７年（昭和62年）八王子の医療刑務所で病死した。95歳であったが逮捕されてから実に39年を獄中で過ごした。

第三章　法に基づいた死刑執行を

◆第１節　遅れる死刑執行

死刑廃止を主張する重要な論拠の誤判の可能性、冤罪による死刑執行の可能性は、我が国だけではなく世界各国において指摘されている。何分死刑は国家権力による生命の剥奪であるから、これほど重い刑罰はない。それだけに冤罪のないように国は細心の注意を傾けるべきであるが、そのために再審申請は慎重に扱わなければならない。過去において再審請求で無罪判決となったのは、免田事件、財田川事件、島田事件、松山事件と昨年再審が決定（無罪になるであろう）の袴田事件である。しかし、再審請求には国はかならずしも積極的ではなく、無罪になったものも、外部からの大きな支えがあったから実現したのではなかろうか。このように近年厳罰化の流れもあって死刑確定者が増えているにもかかわらず死刑執行件数は増えていない。前記の年数にあわせ２００２年から２０１３年までの間に死刑が執行された数は58名である。この間１５０人の死刑確定者があり、現在の収監者は１２９名であるが、死刑確定者が再審請求を乱発していることも大きい。調べてみると再審請求者は実に58名にも及んでいる。その他再審請求を繰り返す「名張毒ぶどう酒事件」の奥西勝も獄中生活すでに46年を数え、第二の平沢になっているのではないか。

《特に民主党政権による執行の遅れ》

死刑執行が遅れている一つの理由は民主党政権である。民主党は２００９年9月に政権についたが、法務大臣に就任したのは死刑反対論者の千葉景子氏であったが、千葉氏はなかなか死刑命令にサインしなかった。最後はいやいや2名の執行に同意した。以後首相は鳩山氏から菅氏へかわったが、その内閣の柳田稔、仙石由人、江田五月、続く野田内閣の小川俊夫の各氏はいずれも法務大臣の義務をはたさずこの間約2年死刑の執行は行われなかった。ようやく野田内閣の滝実法相が４人の執行を命令した。民主党政権は各方面で害毒を流したが、死刑執行の面でも停滞を招いたのである。自民党政権でも死刑命令に署名しない法務大臣が何人かいるが、法治国の我が国法務の最高責任者が「自分の信条に合わない」「宗教上の理由で死刑執行命令はできない」とかの理由で署名しないなど心得違いが甚だしすぎる。法務大臣を拝命する以上死刑執行命令に直面することはわかっているわけで、それならば最初から辞退すべきであるし、またそのような人物を大臣に任命した総理大臣の責任は極めて重いものと考える。

◆第2節　本来の終身刑に近づいている無期懲役

日本の刑法においては、死刑について重い刑罰は無期懲役であるが、死刑と無期懲役では、いうまでもなく天と地ほどの差がある。永山基準などにより裁判官は死刑の判決には細心の注意をはらい、事にあたっているのであるが、それでも死刑と無期の間には微妙なものがあろう。最近では裁判員裁判が採用されているため、さらに難しさがある。冒頭に述べた裁判員裁判による1審死刑判決が2審控訴審で無期懲役となり、さらに上告審で無期懲役が確定した件についてもその内容を新聞報道で知る限りでは、死刑もありえたのではないか。さて無期懲役とは、刑期に終わりの無い刑罰で刑期が本人の死亡するまで一生涯にわたるものであり、有期懲役より重い刑罰である。ちなみに有期懲役の最長期間は30年となっている。さて無期懲役に処せられた者は、最短10年で仮釈放が許可される規定になっているようで、実際過去においては10数年で仮釈放が相当数認められたようである。しかし、仮釈放の運用状況は1990年代から大きく変化してきており、2013年12月末現在刑事施設に在所している期間が30年以上となるものが143名、また2004年から13年までの刑事施設内での死亡者（獄死者）は146名もいる。他の資料によれば仮釈放を許可された者の在所期間の平均は、1980年代では15年～18年であったものが、1990年代に入り一貫して増え続け、2000年代に入ってからは、25年以上となり2013年では仮釈放の平均は、31年2

か月となっている。このことは無期懲役刑が終身刑に近づいているといってよい。

◆第3節　死刑判決は法治国家として迅速な執行を

「死刑制度は廃止すべきである。なんとなれば死刑は残虐な刑罰である、また死刑があるからといって凶悪な犯罪が無くなるわけではない、犯罪者といえども国家に人命を奪う権利はない、誤判をどう考えるのか等々また先進国で死刑制度を保持しているのは、アメリカと日本だけであるから早急に死刑制度を廃止すべきであるという死刑廃止論」が唱えられている。それに代わるものとしては釈放のない終身刑と主張されているが、我が国の現状はどう考えてみても死刑制度廃止など難しいと考える。国民はどう考えているかについては、冒頭に紹介した最近の世論調査の通りであって、国民は死刑制度を是認している。私も不勉強であったが、現状において、いまの無期懲役制度は、事実上終身刑に同体化しているのではないかと考える。一般の風説では真面目に刑期をつとめていれば、比較的短期間で仮釈放の恩典によくすると思われているが、現実には無期懲役刑からの仮釈放は極めて難しいのである。

最後に死刑執行に対するマスコミの取り扱いであるが、法治国家である我が国が法に則り行う死刑に関し、死刑が執行されるたびに余りにも騒ぎすぎるように私は思う。

第9話

最高裁判所の「疑問判決」を憂うる

婚外子も法律子も同等の判決は矛盾

2015年4月6日

少し古い話になるが、2013年9月4日に最高裁が下した婚外子の相続差別は、違憲とする判決は実に納得のいかないものであった。婚外子の相続差別とはどんなものか、ご承知ない方もおられると思うので、その詳細について触れる。少し長くなるが、民法では相続について第900条において次のように規定している。すなわち同順位の相続人が数人あるときは、その相続分は左記の規定に従う。

(1)　子および配偶者が相続人であるときは、子の相続分および配偶者の相続分は各々2分の1とする。

(2)　配偶者および直系尊属である場合は、配偶者の相続分は、3分の2とし、直系尊属の相続分は、3分の1とする。

(3)　配偶者及兄弟姉妹が相続人であるときは、配偶者の相続分は4分の3とし、兄弟姉妹の相続分は、4分の1とする。

(4) 子、直系尊属または兄弟姉妹が数人あるときは、各自の相続分は、相等しいものとする。
ただし、嫡出でない子の相続分は、嫡出である子の相続分の2分の1とし、父母の一方のみを同じくする兄弟姉妹の相続分は、父母の双方を同じくする兄弟姉妹の相続分の2分の1とする。

第一章　現行「法定相続規定」に対する疑問判決

◆第1節　長年の相続基本原則を覆す違憲判決

(1)元来は、以上により相続はなされていたのであるが、最高裁大法廷は2001年7月に死亡した東京都の男性と、同年11月に死亡した男性の遺産分割審判の特別抗告審（いずれも法律婚の妻と内縁関係の女性との間に子どもをもうけていた）に対して、この規定は法の下の平等を定めた憲法に違反しており、無効とする決定を下したのであった。しかも裁判官全員一致の判断として、この決定となったのである。大法廷は決定の理由として、我が国の社会には、法律婚が定着していることを認めながら、家族の形態は多様化していると指摘し、「父母が婚姻関係になかったという、子どもにとって選択の余地がない理由で不利益をおよぼすことは、許されないという考え方が確立されている」とした。
(2)この判決についていては、当時多くの疑問が投げかけられたことを、覚えている方は多いと思うが、私はこの判決は、日本の良き家族制度を破壊する極めて憂慮すべきもの考えている。その理由を述べると、まず、非嫡出子の相続分は、嫡出子の2分の1とした条文は、我が国の大原則である、法律婚制度と非嫡出子の人権を整合させる、当時の立法者の絶妙なバランス感覚より、生まれたものである。感情的にはいろいろな問題があろう。しかし正直言って法律婚制度のもとにおいて、愛人をつくり子どもを設けることは、配偶者に対する裏切り行為で、極端な言い方をするならば、重婚と言って差し支えない。夫の財産は夫婦共同で築いたものである。それだからこそ、民法は相続において配偶者の相続分は2分の1と、明確に定めているのではないか。それにもかかわらず夫の死後、非嫡出子が本妻の子どもと同額というのでは、配偶者はもとより、嫡出子にとっても到底納得できるものではない。

(3)確かに、父親の不貞により生まれた非嫡出子には、罪はないのであるが、本妻の子どもたちの取得分が、突然出てきた見ず知らずの人たちと、同じ扱いになることは本妻と子どもたちの心情を察すると、暗澹とした気持ちになる。ましてや、愛人やその子どもの存在がわかっていた場合、本妻の苦悩は、はかりしれないものがあったはずである。「平等」を論じることを、必ずしも否定するものではないが、現在の風潮は「平等」を通り越して「悪平等」が、まかり通りすぎているのではないか。そういう意味で本判決は、悪平等の典型と私は思うが、皆さんはどう思料されるのか、興味がある。

◆第2節　家族多様化の流れは、未だ判決の理由にならず

次に本件について、実は1995年に同じく大法廷において「合憲」との判決が出ている

のである。この時は15名の裁判官の中で10名は合憲、５名は違憲の疑いありであった。今回の判決では、重複するが「現在は社会が変化して、家族の多様化が進む中で、結婚していない両親の子どもだけに、不利益をあたえることは許されない」との理由が述べられている。しかし、当判決の対象事案は２００１年のもので、わずか6年で違憲となってしまうような、社会情勢に変ったという主張は、全く説得性を欠くといわねばならない。あるマスコミは、(民法の親族と相続を「家族法」というが）この家族法について「法の下の平等」を論ずるのが裁判所の役目かどうか、はなはだ疑問であると指摘している。「社会が変化して、家族の多様化が進んでいる」というならば、国民全体で議論すべきなのではなかろうか。たった15名の裁判官が考える家族観が、そのまま判決となり、それに全国民が従えというのは、いささか乱暴ではないかと思うのであるが、如何であろうか。

◆第3節　諸外国の例に倣うとの理由も、家族法には不適切である

もう一つマスコミの論評で、先進国の相続に関する法律では、我が国のような例は殆どないとの声が盛んに聞かれる。しかし日本の法律を諸外国との法律に標準化しなければならない理由は、全くない。その国の法律は、その国を構成する国民が、文化や歴史、風習、宗教などを考えて、つくるべきものだからである。それらは、本来、基本的に相違するものであり、批判されるべきものではない。嫡出子、非嫡出子に関する法律についていうならば、諸外国と我が国では、非嫡出子の数が圧倒的に少ないことを、知っておくべきである。フランスやスウェーデンでは、１９７０年以降カップル形態の多様化が進み、結婚していないカップル

から生まれた非嫡出子の数が増加しており、2003年でスウェーデンは60%、フランスは50%にもなっている。ちなみにアメリカは34%である。一方、我が国は最近上昇傾向にはあるが1980年で0・8%、1995年で1・2%、2003年で1・9%にすぎない。このような背景をよく知らず、先進国で差別的な法律があるのは日本だけなどと、したり顔で報道することはやめてもらいたいものである。先ほどの平等の議論に、若干もどりたいのであるが、本判決の理由の中で「父母の婚姻関係がなかったという、子にとって選択の余地のないとの理由で不利益をおよぼすことは、許されないという考えが確立されている」というならば、少し性質は相違するが「貧富の差」はどうなるのであろうか。これは致し方ないことなのであろうか。今回このような判決が下された結果、婚姻という制度を守って生まれた子と、この制度を守らないで生まれた子は相続においては、同じ人間だから平等ということになり、極めて釈然としないのがあるが、せめて婚姻制度を守っていた正妻の相続分を、増やすという処置を今後考えていくべきではなかろうか。

第二章　家族法全体への波及を懸念

◆第1節　伝統・文化を否定した、思想的偏向の判決

これはあくまで私見であるが、民主党政権下において選ばれた最高裁判事には資質は別にして、思想的に極めて強い偏向があるように思う。唯々平等などを振りかざすだけでは、我が国の伝統、文化を否定した無味乾燥な法律判断になってしまう。今回の判決理由である「社

会動向や家族形態の多様化」は極めて根拠が曖昧だ。法律婚と事実婚の法的な格差をなくせば、国民の結婚観や家族観に誤ったシグナルを送ることになり、事実婚が増え、家族制度を崩壊に導くであろう。

◆第2節　夫婦別姓、待婚期間について年内の最高裁判決を懸念

私が一昨年（平成27年）の非嫡出子の相続違憲判決について、なぜこれほど詳しく述べたかであるが、それは極めて重要な問題である「夫婦別姓」「待婚期間」（女性の再婚禁止期間）について、年内に最高裁が判断を下すことになっているからである。まず「夫婦別姓」の問題であるが、この制度については１９８０年代から繰り返し政府内で議論されてきた問題である。民法９５０条では「夫婦」は「夫または妻の氏を称する」と規定されており、このため「夫婦」が別々の氏を称することは認められていない。「待婚期間」については、民法７３３条において「女は、前婚の解消、または取り消しの日から6か月を経過しなければ再婚することができない」と規定されており、女性だけが離婚後の再婚が6か月間禁止されている。

第三章　夫婦別姓、待婚期間に係る各論

◆第1節　夫婦別姓制度の考察

(1)夫婦別姓制度については、そもそも仕事の場面で旧姓を名乗りたいというところから、

はじまったようである。法制審議会（法相の諮問機関）が議論を重ね、1991年に導入の検討を開始し、結婚後も別々の姓を名乗れる「選択的夫婦別姓制度」を盛り込んだ民法改正要綱を1996年に答申した。しかし、当時の与党内で、「家族の一体感を損なう」などの強烈な異論が巻き起こり、その結果法改正は見送られたのであった。2002年にも、原則は夫婦同姓ながら例外的に別姓を認める「例外的夫婦別姓制度」が、試案の形で提案されたが、日の目を見ずに終わり、民主党政権下の2010年にも、1996年の法制審議会の答申を基にした改正案が公表されたが、実現にいたらなかった。

(2)民法改正の試案として提案されたものは次の6種類に分類される。

①、原則夫婦別姓

別姓を原則とするが、同姓も認める。子どもの姓は出生時に決める。

②、選択的夫婦別姓（1）

婚姻時に夫婦同姓か別姓かを自由に選択できる。子どもの姓は出生時に決めるが、兄弟姉妹の姓を別々にすることを認める。夫婦同姓の場合は兄弟姉妹の姓を別々にすることを認めない。

③、選択的夫婦別姓（2）

婚姻時に夫婦同姓か別姓が自由に選択できるが、子どもの姓は婚姻時にきめ、兄弟姉妹の姓を別々にすることを認めない。

④、例外的夫婦別姓

夫婦別姓を望むものには、例外的に認めるという案。夫婦同姓を原則とするが、この定めを義務付けることもしないので、その定めをしないこともできる。実質的には自由に夫婦別姓を選択できる。

⑤、家裁許可制夫婦別姓

夫婦同姓を原則として、夫婦別姓は家庭裁判所の許可を得た上で認めるとする案、許可理由を祭祀の継承や職業上の理由などに厳格化する。

⑥、通称使用公認制

夫婦同姓を原則とするかわりに、通称使用を法律で認めるという案。

(3)先にも書いたが、そもそも夫婦別姓が表にでてきたのは、仕事の遂行上結婚前の姓を名乗りたいというところから、始まったのではないか。改姓を届たり、知らせるのは、たしかに不便かもしれないが、これも一時のことである。しかしながら、現在では旧姓を通称として使用できる範囲は、大幅に広がっており、不便は全くといってよいほど、解消されているのではないかと思う。

◆第2節　夫婦別姓制度の根幹にある婚姻制度についての考察

(1)さて、今回の裁判では夫婦別姓を認めていない民法950条の規定が、個人の自由を過度に制約しており、違憲ではないかという問題である。確かに、法律の制定立法は、国民の最高機関である国会の役割であるが、どうしても議会における法律の制定には、国会における多数派の意思が反映することはやむをえない。しかしながら、多数派の意思が少数派の権利を踏みにじるものであれば、それに対して最高裁判所は違憲の判断をくだすのは当然である。しかし、現行の民法950条の規定、すなわち夫婦が同姓でなければならないということが、少数派の人々の権利をあからさまに侵害しているとは、到底思えない。

(2)確かに別姓を希望する人々は、婚姻することによって得られる恩恵は、受けられないが、民法は、別姓による法律婚を禁止しているのであって、事実婚を禁止しているわけではない。しかも、現在法律婚と事実婚の間に著しい差異があるのならば、違憲という方向も考えられるが、社会保障などにおいても、事実婚と法律婚の間の差異は少なくなってきているという、現在の社会情勢からみて、少数派の権利を不当に弾圧しているとは考えられない。また民法では、婚姻の際夫婦どちらの姓を名乗ってもよいのであるから女性を差別しているわけではない。大体婚姻制度自体が、国家における制度であって、その制度に国民のすべての考え方を盛り込むなどということは、不可能なのである。いいかえれば現在の社会的慣習にしたがったものであって当然なのである。したがって婚姻制度は、あくまで国家における「制度」であることを肝に銘ずるべきである。婚姻が個人だけのものと考えるならば、夫婦別姓はおろか、同性同士の結婚をも認める、ということになるのではないか。婚姻制度がどのようなものであるべきかは、時代の変遷とともに、いろいろな考えが出てくるのは必然である、それだけにこの問題につては、最高裁判所の判断を仰ぐというのではなく、国家の最高機関である国会で、充分に意見を戦わせて立法を通じて実現していくべきと考える。先の嫡出子非嫡出子の相続の問題についても、もっと早く国会が関与すべきでは、なかったかと思うのである。

(3)もし夫婦別姓が実現した場合、これは我が国の家族制度の崩壊を導くものであって、日本の良き家族の連帯と文化を破壊する以外の何ものでもない。現在の夫婦同姓制度下での夫婦各人にとって、どれだけの不利益になるか、わからない。一般の世論調査によっても、夫婦別姓賛成はなお少数派である。夫婦別姓制度について何度も訴訟を起こす人たちは特殊なイデオロギーの持ち主ではないか。そこには、究極的に戸籍の廃止を指向する考えが、あるのではないかと思う。我が国以外の制度について詳しく述べる紙面がないが、アジアにおいては、我が国を除き夫婦別姓が多いようであるが、これは女性蔑視の考え方が根本にあり、女性（嫁）を全面的に家族の中に迎え入れない、一つの表れなのである。私は知人の中国人女性から、次のような言葉をもらった「日本の女性は、旦那さんの姓を名乗れて幸せですね」。

◆第3節　再婚禁止期間の考察

もう一つの女性の再婚禁止期間については、夫婦別姓と同じ1996年の法制審議会の答申の中に、禁止期間を6か月から100日に短縮する制度の改正が盛り込まれていたのであるが、夫婦別姓を巡る議論の紛糾のあおりを受け、改正が実現しなかった経緯がある。再婚禁止期間を定めた民法733条は、再婚する女性が妊娠していた場合、生まれてくる子どもの父親が離婚前の夫か、再婚後の夫かを明確にする必要があるとの趣旨で設けられたものである。だが禁止期間6か月は、長すぎるとして不要との指摘も根強い。民法は懐胎期間を200日から300日と想定し、婚姻成立の日から200日、婚姻が解消されてから300日以内に生まれた子については、婚姻中に懐胎したものと推定している。この規定から、父性の推定が重なる期間は、最大100日しかない。すなわち、父性推定の重複を防止するため、必要な禁止期間は100日で充分である。

第10話

我が国は日本独自の経営を貫け

東芝の粉飾決算、あるまじき行為

2015年10月21日

ここ数年来、株式会社の経営については、すっかり欧米流、特にアメリカのやり方が正しいものであるという認識がしみついてしまって、肝心の日本的経営の良さがすっかり失われつつあるのではないかと、憂うるものである。そこで、今回はこのテーマを取り上げることにした。初めに話題を通り越して大問題となっている企業が、ヨーロッパと日本にある。言わずと知れた一つは、フォルクスワーゲン（以下ＶＷ）、もう片方は東芝である。

第一章　世界企業フォルクスワーゲンの信用失墜

◆第1節　排気ガス発生を隠ぺいして燃費効率を喧伝した大罪

ドイツにおいては、日本、アメリカと違い、取締役会の役割としてその権限を監査役会と執行役会の二つの機関に分けており、しかも監査役会の権限が強いので、我が国とはガバナンスが大きく相違する。さて、今回のＶＷの不祥事は、排気ガスのデータをコンピューターソフトの操作により誤魔化すという詐欺的な行為である。これはＶＷが日本の独壇場であるエンジンをモーターと蓄電池で補助するハイブリッド方式の開発で、トヨタ自動車などに大きく遅れをとり、このため、今回の排気ガス不正が発覚するまでは燃費に優れているディーゼル車をエコカーの中心に据える一方、ＥＶ（電気自動車）に徐々に移行する戦略をとっていたことに由来する。私は、前々からＶＷは、燃費と二酸化炭素（ＣＯ２）の排出が少ないという点では優れているが、窒素酸化物（ＮＯＸ）の排出の大きいディーゼルに、どうしてこれほどまでにこだわるのかと思っていた。最近日本のマツダが新たにクリーンディーゼルを開発しているが、今回ＶＷのディーゼルの正体はまやかしであったことが、青天のもとに暴露されたのであった。

◆第２節　大株主創業者一族に働かなかったコーポレートガバナンス

ＶＷの経営については、また改めて書くチャンスもあると思うが、この会社は元々ヒトラーの特命を受け「国民車フォルクスワーゲン」を開発したフェルジナンド・ポルシェ博士が創った国策会社であり、ドイツ商法に則った監査役会を頂点とするガバナンスをとっていたが、創業者一族が株式の51％を握り、一般の株主は12％しかいないという特殊な会社で創業者一族の力が強く、そのうえ最近ではポルシェ一族の中で経営を巡る争いがあった。すなわち創業者の孫で女系の傍流ではあるが、フェルジナンド・ピエヒが22年に亘り社長、会長さらに監査役会の会長として君臨し、権勢をふるったが、同じ一族のポルシェ社を率いるウォルフガング・ポルシェとは、ＶＷの経営権を巡り鋭い対立関係にあった。ＶＷのことを長々と書くのは、本旨ではないのでこのくらいにするが、ドイツの誇るコーポレートガバナンスは一体どうなってしまったのか。

◆第3節　世界戦略遂行のための組織ぐるみの不祥事

日本人と同じく勤勉で研究心の強いドイツにおいて、このような事件が起こるとは誠に由々しき問題である。ＶＷは競争相手のトヨタとは世界市場において棲み分けが進んでおり、余程の失策が無い限り業績は安泰であった。しかしながら考えるに、ハイブリッドにおいて日本勢に大きく遅れをとったことは、ＶＷには大きな衝撃となり、焦りを呼んだのではないか。１１００万台のリコールに加えて、これから発生してくる損害賠償や、アメリカの当局からの罰金その他を考えると、会社存続の危機にまで発展する可能性すらある。今回の件は、担当部署の判断と公表しているが、まず間違いなく会社上層部を含めた全社的なものであろう。ドイツの誇る監査機能を含めたシステムは機能しなかった。ガバナンスは地に落ちたといってよい。ドイツ人は日本人と違い自己に自信を持ち過ぎるきらいがある、日本人は、これと反対で欧米の顔色ばかりを窺う。今回はこれが裏目に出たとは言い過ぎだろうか。

第二章　我が国電機業界を牽引する、技術の東芝の粉飾決算

◆第1節　不適切会計で済む問題か？

東芝は、その沿革をたどると、明治8年（1875年）に「からくり人形」で有名な田中儀衛門久重がおこした工場にまで遡る。その後三井財閥の傘下に入り、芝浦製作所となり、日本で最初に白熱電灯を造ったのを手始めに重電、弱電両面において我が国の電機業界を牽引するリーダー会社として一際大きな存在として今日に至っている。近年は、半導体、原子力発電にも力をいれており、文字通り我が国を代表する企業である。しかるに本年に入り不適切会計問題が生じ、誠に上場会社としては、恥ずかしい3月期の決算を発表できないという醜態をさらし、三代に亘る社長が退任するという前代未聞の事態となった。この問題については、新聞などにおいて詳しく報道されているので詳細は割愛するが、私に言わせれば、不適切会計などという言葉はおこがましい。なぜ粉飾決算と言わないのであろうか。これは誰が何と言おうと粉飾決算そのものではなかろうか。

◆第2節　委員会設置会社とは何か？

(1)2003年4月に株式会社の監査などに関する商法の特例に関する法律（商法特例法）が改正され、委員会等設置会社の制度が導入された。これは特例法上の大会社にのみ適用され、当初の会社数は36社にすぎなかった。その後2006年5月に新たに会社法が施行され、

委員会等設置会社が大きく範囲を広げて規定されたのであった。２００３年に最初に委員会設置会社に移行した36社の内訳をみると日立製作所、イオン、オリックス、ソニー、野村ホールディングスなどの中に東芝という名前が目につくのである。東芝は、このようにアメリカンナイズされた会社法の中で率先してこれに取り組んだ会社である。参考までに委員会設置会社には、取締役会と執行役がおかれ、取締役会の中に指名委員会、監査委員会および報酬委員会がおかれるが、一方では監査役（監査役会）は設置されない。ということは、株式を公開している大会社において監査役会を置かない場合は、必然的に委員会設置会社の形態となる。

⑵さて取締役会の権限は、業務の意思決定に加えて取締役および執行役による業務執行の監督であるため、この点では従来の取締役会とほとんど変わりない。権限が従来と違う特徴は、取締役は原則として業務の執行はできず、それは執行役に委ねられる。ただし取締役は執行役を兼ねることができる。そしてこの点が重要なのであるが、アメリカのように取締役会の構成員の過半数を社外取締役とする必要はない。また取締役会には三つの委員会を設置しなければならないが、各委員会は３名以上の取締役で構成され、その過半数は社外取締役でなければならない。三つの委員会の権限の詳細は割愛するが、今回の東芝事件に絡んでは、監査委員会の存在である。監査委員会の権限は、取締役および執行役の職務が適正かどうかを監査して株主総会に提出する。また会計監査人の選任、解任、不再任を決める。

⑶この制度の問題点として次の点が前々から指摘されている。すなわち業務執行と意思決定が執行役に集中しているうえ、さらに執行役と取締役の兼任が認められているので、業務

執行を監視する監査委員会の委員の選定を行う取締役会は、執行役が多数を占めるのが通例であり、我が国の委員会設置会社の制度が、業務の執行と監督が、本当に分離されているのか疑わしく、従来の取締役会から独立した監査役を置く制度に比べて、本当に適切な監査が期待できるのかという批判があった。さらに、権限の集中する執行役に対する監督を行う委員会のメンバーの過半数を、社外取締役とすることが、この制度の要となっているのはよいとして、実際には社外取締役は常勤ではないし、アメリカと違い取引先との関係者など執行役からの独立性が疑われるような監査委員会のメンバーもおり、その監査機能の実効性には疑問があるとの指摘もなされていた。

◆第3節　監査の形だけを整えるも、その機能不全が粉飾決算誘発へ

まさに東芝においては制度の形ばかりを追いかけて、その実情は、監査機能は働かず、内部統制制度はでたらめ、そのうえ会計監査人は一体何をしていたのであろうか。アメリカの制度を唯々表面的に追いかけ、コーポレートガバナンスの優等生面をしていた結果が、今回の不祥事であろう。一方委員会設置会社制度を生煮えのまま会社法に盛り込んだ国や一部商法学者にも責任があると思うが如何であろうか。

会社には社風というものがある、従来の東芝のイメージは進取の気風みなぎる積極的な野武士集団といったところで同業他社の中でも勝ち組の会社といわれていた。しかし、今回の不祥事で東芝は「本件については、当社経営トップによる目標達成必達プレッシャー、上司の意向に逆らえない企業体質、経営者における適切な会計処理に向けての意識の欠如などの

複合的な要因があいまって、利益のかさ上げのためにカンパニーにおける内部統制、および単体決算や連結決算に関する内部統制が無効化され、当社会計処理基準が適切に運用されていなかったために発生したものです」と発表している。皆さん、この発表をどう思われるか。馬鹿も休み休みに言ってほしい。私は、こう考える。営利会社の目的は利益の追求である。そのためにも目標が設定され、組織はそれを完遂するために活動するのであって、不正な方法は当然禁じ手である。東芝の発表は自分達のやってきたことをまるで他人事のように言っており、何の反省も感じられない。むしろ利益達成のためならば何をやってもよいとすら受け取れる。翻って考えるならば、東芝は会社として当事者能力が全くありませんと言っているとも思える。これはもう粉飾決算以外の何物でもない。あるメディアで著名な商法学者がこれは当然刑事事件に発展しなければ、従来の事例との平衡上不公平であると論じている。東芝事件は根が深い。ここに至る道筋として、バブル崩壊以来とってきた余りにもアメリカンスタンダードを追いすぎる国による法改正にこそ問題があると指摘しておきたい。

第三章　国益に反する、我が国企業統治の諸制度について考える

◆第1節　適材不足の社外取締役

確かに我が国において社外取締役は少ない。しかし、今回金融庁と東京証券取引所が企業のあるべき姿として「コーポレート・ガバナンスコード」（企業統治規範）が発表され、上場企業に対する運用が開始された。目的は日本企業の透明性を高め、グローバルな投資を呼

び込み成長に寄与させるということであるが、その中で取締役会の義務として上場会社は独立社外取締役を少なくとも2人以上置くべきであるという項目がある。これは簡単そうに見えて大変なことなのである。社外取締役の対象となるのは他社の企業経営者、学者、弁護士、などであろうが、言うは易く実際には適材を選ぶのは大変難しい。現役の経営者に聞いても、はたして経営にプラスになるか疑問視する人が多い。このことも唯々形式をつくるということで終わってしまうのではないか。企業の経営に携わっていた一人として簡単な問題ではないと思う。（実際に最近選ばれた人を見て余計にそう思うのである）

◆第2節　ROE重視の動きあり、しかし利害関係者は株主のみにあらず

最近何処にいっても自己資本利益率、ROE、ROEである。株主が出資する資本が如何に有効に使用されているかを計る物差しとして、我が国のそれは、欧米に比較してその値が低いというのが一般的な評価であるが、これについて云々する場合、会社は誰のものか、あるいは誰のためのものかという問題に突き当たるのである。会社は誰のものかについて一般的には、会社は「株主」「社員」「顧客」あるいは「地域社会」などまちまちの答えが返ってくる。アメリカ式の考えなら、当然会社は「株主」のものとなろうが、日本の場合それだけでは割り切れないものがあるのではないか。むしろ日本的な考え方に立つならば「株主」のものであると同時に「従業員」「顧客」のウエイトも大きいと考えられる。株主資本に対する利益を極大化すべきであるというROE論は重要な目安には違いないが、企業の価値はそれだけでは測れまい。結論として反論は覚悟の上ではあるが、会社とは、会社に係るすべて

の人々のものである。ただそのウエイトはすべてに同じではない。当然株主への配分も株主を満足させうるものでなければならない。そこにROEの極大化の意義があるのではないか。当然ROEの向上により会社全体の利益が向上するならば、その他の従業員をはじめ会社の関係者は潤うからである。

◆第3節　仏作って魂入れずの内部監査制度

日本人は、会社においてもあくまで性善説に立つから、また自己抑制が働くから、我が国の会社内における内部監査制度は緩やかなものであった。ところが、ビジネスのグローバル化が進み、また相次ぐ不祥事件の発生から近年企業に対して厳しい目が向けられるようになり、内部監査についてもグローバルスタンダード化が避けられなくなった。日本監査役協会は「監査役監査基準」で監査役と内部監査部門との連携が規定され、会計監査人の監査においても内部監査への容喙（ようかい）が規定されたのである。具体的には、2006年5月に施行された新会社法、2006年6月の金融商品取引法において大会社と上場会社に内部統制を求め、内部監査に密着するようになった。これの具体的な進め方は、会社の各部門に対する綿密な整備を求めていた。私からいわせれば、これはまったく不必要とはいわないが、企業に対して膨大な負担を強いる性悪説に立った無駄な処置であったと思っている。それが証拠に今回の東芝も、おそらく膨大な費用を使用したにちがいないが、まったく用をなさなかったではないか。直近の東洋ゴムの3度にわたる偽装なども内部統制はどうなったのか、会計監査人も制度を作った時は大上段にかまえて、企業に対し細部まで注文を付け、極めて大きな利潤をあげたはずである。しかし、内部統制が働かなかったこれらのケースで、会計監査人は、どれだけの働きをしたのか聞いてみたいものである。内部統制に限らず、欧米流グローバルスタンダードに対応しなければならないとして作られた諸制度が、形ばかりを整備するのにこだわり、文字通り仏作って魂入れずの状況下に放置され、いざという時に機能せず、むしろ従来からの日本式経営の足を引っ張っている現状を憂うるのである。

■おわりに　基本の企業会計制度についても日本独自のよさを守るべきだ

企業の会計を律する会計制度については、我が国には1949年に公表された企業会計原則があり、一方アメリカには米国財務会計基準が、またヨーロッパを中心とする国際会計基準がある。グローバル化の進展に伴い日本の会計基準は遅れているとしてアメリカの基準を、あるいは国際会計基準に準拠すべきであるなどの圧力が加わっているように感じられる今日であるが、ただ闇雲にこれに乗っていくのは如何であろうか。日本式の良さも当然あり、現に「のれん代の償却方式」などは日本式の方が優れているなどの声も欧米から聞こえてきており、ここは慎重に対処すべきである。

第11話

特別会計と財政投融資について

一般会計97兆円に対し特別会計は400兆円

2016年2月5日

安倍内閣は、20年沈滞していた我が国デフレからの脱却を金融緩和、円安政策により図りつつある。また集団的自衛権解釈変更による安保法制の制定、実現不可能とみられていたTPP協定にも成功した。安倍氏が次に目指すのは憲法改正と思われるが、それも国として極めて重要な方向であるが、むしろ現在の破産といっても差支えない国家財政の立て直しこそ与えられた使命と思う。これを実現するには相当な痛みをともなうが、それを実行してこそ祖父の岸信介に並ぶことになるのではないか。

第一章　一般会計予算に相対するふたつの大きな別勘定の存在

平成28年度の一般会計について、ある新聞によると予算総額97兆円を家計に例え、次のようになると報道していた。（1万円未満切り捨て）

一家の年間収入		支出	
父親の年収	５７６万円	医療費（社会保障費）	３１９万円
母親の収入（パート）	４６万円	教育、耐震改修、警備（公共事業費他）	２５８万円
新たな借金（新規国債）	３４４万円	郷里への仕送り（地方交付税）	１５２万円
		ローン返済（国債費）	２３７万円

正に、この一家（日本国）も家計は、医療費とローン返済に苦しみ、さらに借金を重ねて辻褄を合わせているという構造で、これが現在の我が国財政の実態であって、これに対して、どのように対処しなければならないかについて、また国の会計については、先般来述べてきたように、来年度（２０１７）は97兆円として現在国会で審議中の一般会計予算と、もう一つ特別会計という別勘定が存在する。しかし、一般の国民は、この特別会計の存在について、ほとんどの人が、わずかに名前を聞いたことがあるくらいで、その総額が実に約４００兆円の巨費に及ぶのに、その存在すら知らないのではないではなかろうか。新聞、雑誌、テレビなどにおいても、その詳細が報じられているのにお目にかかったことがない。したがって、特別会計が別名「謎の予算」ともいわれる所以である。さらに、もう一つ財政投融資といわれるものがある。これについても一般国民はよくわかっていないのではなかろうかと思い今回は、特別会計と財政投融資について少し述べさせて頂きたい。今回、この稿を起こすにあたり、参考書を求めて、大手の書棚を探索したが、殆どこれについて詳述した書籍はなく、わずかにこの稿の参考になったものはたった、２冊だけであった。

第二章　特別会計とは何か

◆第1節　目的別の全体系

特別会計とは、何かというと、国の財政法により次のように決められている。

①国が特定の事業を行う場合（例、年金特別会計）

②国が特定の資金を保有して、その運用を行う場合（例、財政投融資特別会計、外国為替資金特別会計）

③その他特別の歳入をもって特定の歳出に充て一般の歳入、歳出と区分して経理する必要がある場合（国債整理基金特別会計）に限り特別会計の設置が認められている。

④平成28年度においては、時限的な（東日本大震災復興特別会計）を含め14の特別会計が存在する。

特別会計には、一般会計と区分整理することにより受益と負担の関係や、特定の事業・資金の運用を明確化するなどの意義があるが、他方特別会計が多数設置されることは、予算全体の仕組みを複雑化し、財政全体を見渡す一覧性を阻むのではないか、固有の財源により不要、不急の事業が行われているのではないか、といった問題点が何度も指摘されてきた。この主旨に則り何度も検討が加えられ、特別会計改革が進み、戦後すぐには45を数えたものが、行政改革の結果２００６年には31に縮小し、２０１４年度18、２０１５年度15、２０１６年度14と減少している。前述のとおり、一般会計予算が、極めて資金繰りが苦しい中にあって。

特別会計は余裕があった。現在も、以前ほどではないが、一般会計に比較して余裕がある。かつて塩川正十郎元蔵相は「母屋でおかゆをすすっている時に、離れですき焼きを食べている」と評したことを覚えている方は多いであろう。

◆第2節　14の個別会計とその所管部署

若干紙幅を費やすが、特別会計の詳細を列記すると次のようになる。

1、交付税および贈与税配布金特別会計（内閣府、総務省、財務省）
2、地震再保険特別会計（財務省）
3、国債整理基金特別会計（財務省）
4、外国為替特別勘定（財務省）
5、財政投融資特別勘定会計（財務省、国土交通省）
6、エネルギー対策特別会計（内閣府、文科省、経産省、環境省）
7、労働保険種別会計（厚労省）
8、食料安定供給特別会計（農水省）
9、森林保険特別勘定（農水省）
10、国有林野事業債務管理特別会計（農水省）
11、貿易再保険特別勘定（経産省）
12、特許特別会計（経産省）
13、自動車安全特別会計（国土交通省）

14、東日本大震災復興特別会計（国会、裁判所、会計検査院、内閣、内閣府、総務省、法務省、外務省、文科省、厚労省、農水省、経産省、国土交通省。環境省、防衛省）

◆第3節　その政策目的

《規模は総額400兆円、純額200兆円》

即ち特別会計とは、一般会計のように、すべてまとめて一つの予算として運営されているわけではなく、前記の14の会計それぞれが別々に運営されているのである。特別会計の歳出総額は、平成28年度予算において総額403・9兆円の巨額に達している。そして、各会計の規模も歳入の経路も相違している。例えば、特許特別会計は、比較的規模の小さい特別会計で約2000億円であり、歳入は特許の収入印紙により賄われている。それに対して、規模が大きい特別会計は、年金特別会計で約70兆円で一般会計に匹敵する。この会計は、我々に身近な国民年金、厚生年金を運営するもので、主な歳入源は当然これらの年金保険料である。

なお、特別会計の収入源は独自のものであることが多いが、一般会計から回わされる場合もある。特別会計の歳出総額は、前記の通り403・9兆円にもなっているが、会計間相互の重複計上額を除くと「純計額」は201・5兆円となっている。特別会計は、一般会計予算のみではなく、他の特別会計とも相互に繰り入れがおこなわれている。例えば「国債整理基金特別会計」では、国の債務を一括管理するため、一般会計（国債）や他の借入金（年金特例国債など）などの償還も行っており、相互に繰り入れが行われている。

《目的別歳出明細》

さて、歳出純計額の中には、国債償還費など92・2兆円、社会保障給費65・8兆円、地方交付税交付金18・4兆円、財政融資資金への繰り入れ16・5兆円、東日本大震災復興費2・9兆円が含まれる。残りの5・7兆円の内容は公共事業がその内4割、エレルギー対策費が2割となっている。それにしても特別予算の存在は複雑である。国もそれはわかっていて「純計額」を発表しているのであるが、28年度の一般会計予算が96・7兆円であるから国の総予算は、298・2兆円となる。

《巨額予算の中身の吟味を》

前記からみて、国の総予算は約300兆円の巨額な金額なのであり、総予算を効率化すれば、あるいは削減すれば、国債の返済は可能なのではないかという説が流布しているが、現実はそのように甘くはない。しかし、余りにも巨額な予算の中身について、今まで十分吟味されてきたのであろうか。私は、一般会計と並び特別会計の中身について、もっと国民にオープンにして議論しなければ、問題の解決は難しいと思う。ほとんどの国民にとってその存在すらあやふやな特別会計には、もっと政府は透明性を高めて国民の議論を呼ぶようにすべきではないか。

第三章　財政投融資

◆第1節　有償資金活用の投融資活動

以上「謎の予算」といわれる特別会計について触れてきたが、もう一つ「財政投融資」という制度がある。この制度は、国債の一種である財政投融資特別会計国債（財投債）など、国の信用などに基づき調達した資金を財源として、政策的に必要性がありながら、民間の金融では調達が困難な長期資金の供給や大規模、超長期のプロジェクトなどの実施を可能ならしめるための投融資活動である。すなわち財政投融資は、財政政策を有償資金の活用により実施する制度といえる。もっとわかりやすくいうと、国が調達した資金を財源として特殊法人などの財投機関（例えば日本政策金融公庫）に対して有償資金を供給し、財投機関はそれを原資として事業を行い、その事業からの回収金により資金を返済するという仕組みである。この制度は2001年4月から大幅に改正された。それ以前の仕組みは、大蔵省（現在の財務省）に資金運用部という組織があり、郵便貯金や年金積立金などの資金を全部預かり、ここから特殊法人（公庫、公団）に融資を実行する制度であった。改正前の総額は40兆円にも達していた。特殊法人はこの資金で高速道路や空港などの大型施設を建設する事業や、中小企業の事業資金、国民の住宅建設資金などへの融資も行ってきた。しかし、特殊法人は、この制度においては、資金運用部からなかば自動的にこの資金が流れてきたため、自主的に資金の調達を行う必要がないので市場のチェックを受けることがなく、経営が不透明であるという指摘を再三にわたり受けてきた。

◆第2節　自己信用力を原則として、信用補完も行う

また官庁の役人が特殊法人に天下りして、高額な報酬を得るという弊害もあり、2001年3月に大幅な法改正がなされ、大蔵省資金運用部は廃止され、郵便貯金などは金融市場で自主的に運営され、特殊法人は財投機関債を発行して、金融市場から自ら資金調達をすることになった。この財投機関債は、特殊法人が自らの信用力によって発行する政府の保証のない債券である。したがって、市場から資金を調達するためには、経営内容を高め、かつその情報を公開し、市場のチェックを受けて、信用力を高める必要がある。しかし業績不振などから、債券を発行できない特殊法人には、政府保証債の発行を認められている。この、政府保証債とは、政府、国が国の信用により発行する国債である。財投機関債の具体的な貸し出し対象は、国の特別会計（エネルギー対策特別会計など）、政策金融機関（日本政策金融公庫）、独立行政法人都市再生機構など）、地方公共団体、特殊会社である日本政策投資銀行などである。

◆第3節　産業基盤支える総額12兆円の目的別明細

財政投融資は、一般会計予算などと同様に国会の議決を受けている。

《使途目的》

投融資使途目的は、次の三つに分かれている。

《財政融資》

これは先に述べたことと重複するが、財投債を通じて金融市場から調達した資金を、国の特別会計や地方公共団体、政策金融機関、独立行政法人などを通じて、政策的に必要な部門に融資をおこなうものである。国の信用に基づき一番有利な条件で資金を調達しているため、長期、固定、低利の資金供給が可能となる。

《産業投資》

この投資は、国際協力銀行の国庫納付金や財政投融資特別投資勘定が保有するNTT株やJT株などの配当金を原資として、産業および貿易の振興のために行なうものである。

《政府保証》

政策金融機関、独立行政法人などが金融市場で資金を調達する際保証を付けることで、事業の必要資金を円滑かつ有利に調達することを助けるものである。

《目的別金額明細》

近年の財政投融資額は次の通りである。

平成26度の総額は	16・2兆円	27年度12・8兆円	28年度12・4兆円
内　財政融資	11・8兆円	資料なし不明	資料なし不明
産業投資	0・3兆円	資料なし不明	資料なし不明
政府保証	4・1兆円	資料なし不明	資料なし不明

申し訳ないが投融資の27年、28年度の資料が見当たらず前記の通り総額で比較して頂きたい。国が特定の事業に財政上の関与を行う場合、どのように補助金などの無償資金（予算措

置）と有償資金（財政投融資）とを使い分けるかについては、対象となる事業の性格によって異なる。一般には当該事業がある程度の採算性を有し、事業者が貸付金の返済などを通じてコスト意識を持ち、いかに効果的に事業を伸ばして行こうというものに対しては、財政投融資の活用が適切と思われる。

《その具体的目的明細》

具体的には①我が国の産業基盤を支えている存在ではあるが、信用力、担保力の弱い中小企業に対し、日本政策金融公庫などが低利、かつ長期の資金を供給している。②また、農林水産業も自然条件に左右されやすく、かつ生産のサイクルも長いなどの特徴があり、経営は不安定ではあるが、国の重要基盤であるためここにも同金庫からの融資が実行されている。③学生に対する奨学金の貸与事業は、次代の育成に欠かすことのできない事項であり、有利子の奨学金の貸与に関し財政投融資が使われている。④一方福祉、医療の分野は少子高齢化の中にあって医療体制の強化を図るため児童福祉施設、老人福祉施設、病院などの整備に財政投融資が活用されている。⑤社会資本の充実は今後ますます重要度を増していくが、その内空港、都市再開発などは、大規模かつ超長期のプロジェクトになるので、この分野も重要な対象となる。⑥資源の少ない我が国においては、技術革新によって常に新しい価値を生み出していかなければならない。一方産業研究開発には膨大な投資が必要で、リスクが高い上に結果を出すのに時間がかかることから、民間だけでは資金の調達が困難である、このため産業の競争力を維持する産業や研究開発に出資している。⑦次に、国際金融およびＯＤＡであるが、資源の少ない我が国にとって重要な資源の海外における開発、取得の促進、国際金融の秩序維持は我が国にとって看過できない事項である。このため開発途上国への開発支援である円借款によるODAを含め、財政投融資の活用がなされている。⑧また、地方公共団体の事業の内、災害復旧や廃棄物処理国の責任の度合いが大きい投資的な事業にも、財政投融資が活用されている。

■おわりに

以上、今回は余り知られていない特別会計と財政投融資について述べたが、両者とも国民に対する説明は全く不十分である。先にも述べたようにもっと透明性を高め、国民の理解を得る必要があると思っている。この二つの会計については、わかり難い点が多々あるので十分な説明ができなかったと思っており、皆様方のご質問をお待ちいたしております。

第12話

アメリカ（フランクリン・ルーズベルト）の世界戦略の失敗

あまりにも大きな禍根を残す

２０１９年９月30日

アメリカについて、世間一般の人々のイメージは自由と平等の国、アメリカンドリームの国ということが先行しているのではないかと思う。しかし、昨今のアメリカの国力の低下は甚だしく、ついに先日、オバマ大統領は「米国は世界の警察官ではないという考えに同意する」と宣言した。ご存じのように第二次世界大戦後アメリカは世界の安全保障を担ってきたのであるが、冷戦が終了した１９８９年以降アメリカは、世界唯一の超大国として世界の安全保障を一手に引き受けてきたのであった。したがって、このオバマ氏の発言は、世界情勢の安全に大きな問題を投げかけたと言っても過言ではない。この発言の背景にあるのは、リーマン危機以来の深刻な不況により、例え国際的な危機が起こっても、直ちに米国が介入できないという財政上の問題があるからである。

もう一つは、古くは１９５０年の朝鮮戦争に始まりさらに１９６４年から11年間も続いたベトナム戦争への介入に加えて、2001年から2010年にかけてのアフガニスタンやイラクへの「対テロ戦」により、米国は、半世紀にわたり戦争に明け暮れるという状況が続いて、国内においては、多数の米国兵が犠牲になったにも拘わらず、なお直接の脅威を取り除くことができないという厭戦気分が漲っていた。

そして、昨今のシリア内戦に対する軍事介入を避けるという消極的な姿勢は、ロシアをクリミヤ半島併合という大胆な行動に走らせ、一方中国の南シナ海における無謀とも思われる積極的な拡大主義路線を、助長する結果になっているのではなかろうか。このオバマ発言は、国際的な問題解決から米国は逃避するという宣言であり、同盟関係にあり、かつ中国の脅威に曝されている我が国にとって見逃すことのできない大問題と言わねばならない。

第一章　米国の覇権国家への道のり

◆第1節　北米大陸内での帝国主義的手法による領土拡張

さてアメリカは、決して平和的な国ではない。その歴史を繙くと、アメリカはローマ帝国に比肩される「帝国主義」「覇権主義」の国家である。アメリカは1776年イギリスからの独立を果たしたのであるが、この18世紀の時代は、まさに列強スペイン、ポルトガル、オランダ、イギリス、フランスなどによる帝国主義的領土拡張、植民地主義の時代であった。アメリカも独立当時は、北米大陸内での領土拡張を進めていた。具体的にはイギリスの植民地時代から発展していた大西洋岸から太平洋岸までの未開拓の地域を開拓していったのであるが、それは原住民であるインディアンに対する侵略と殺戮そのものであった。一方フランスからはルイジアナを買い取り、アラスカをロシアから買い取り領土を拡張していった。独立当初は、イギリスから自由を求めて独立を果たしたこともあり、植民地主義には反対して各国の独立を支持し、他国への干渉を避けるという考えで進んでいた。ところが1845年メキシコと開戦し勝利をおさめ、メキシコからカリフォルニア、ネバダ、ユタ、アリゾナ、ニューメキシコ、ワイオミング、コロラド、テキサスを手中におさめた。これにより現在の合衆国本土域が確定したのであった。そして、19世紀末のマッキンリー大統領の頃から他国への干渉を強めるようになり、次第に帝国主義国家に変貌して行ったのであった。

◆第2節　西部開拓から太平洋国家へ、中国の門戸開放を要求

1898年にはスペインと戦端を開き、同国を屈服させキューバを含む西インド諸島、グアム、フィリピンなどの太平洋のスペイン植民地を獲得。その他プエルトリコなども割譲させた。少し戻るが1893年ハワイ王国を侵略し、手中に収めた。同国の獲得にあたっては帝国主義的な手法が存分にとられ、誠に汚いやり方は、後の日本の満州国へのやり方と全く軌を一にする。加えてパナマ運河地域のニカラグアなど中米の諸国にまで手を広げていった。

さて、本土において西へ西へと大西洋岸から太平洋岸まで未開拓地域を開拓していったア

メリカであったが、たまたま１８４８年カリフォルニアで金鉱が発見され、いわゆるゴールドラッシュが起こり、太平洋岸の開拓が急速に進み、逆に太平洋岸から内陸への開拓が進むようになった。ここでアメリカは、初めて太平洋国家となった。そして米西戦争により獲得したフィリピンを含めた太平洋の西側の極東に位置する日本、中国への関心を高めて行く。

１８５２年のペリー提督による日本開国もアメリカの極東への関与の強さの一環であるが、アメリカが真に目指したのは中国であった。しかしながら、西太平洋および中国に関しては新参者に過ぎなかった。アメリカは、中国に対して関心を持ち続けていたのであるが、１８６１年から始まった国内の戦争、南北戦争により中国を目指す余力を欠いていたことも出遅れの原因である。既に早くから中国においてはイギリスをはじめフランス、ドイツなどの列強が権益を確保していた。アメリカは、これらの国々に対して「門戸開放」「機会均等」を主張して参入を試みるのであるが、もう一つ難問があった。それは、清国の隣国日本が力を付けて来ていたことであった。

◆第３節　米国に立ちはだかった日本

日本は１８９５年日清戦争で勝利を納め、台湾を獲得し、さらにロシアの影響を排除しつつ韓国（大韓帝国）を保護下におき、清国の韓国に対する「冊封体制」を完全に排除し、１９１０年韓国を併合したのであった。アメリカは、１９０２年にロシアによる満州侵略は、「門戸開放」の原則に反するとしたのであったが、１９０４年から05年の日露戦争の結果、日本がロシアの保持していた満州における権益を獲得してしまった。当初日本は満州に関する「門戸開放」を約束したが、アメリカは日本の独占を阻止するため日本、アメリカ、イギリス、フランスによる鉄道敷設を考えたが、途中からこの考えを放棄してしまう。

1914年に始まった第一次世界大戦ではアメリカ大統領ウィルソンは、当初不介入政策を貫き、その後欧州の戦争には介入して、戦後の復興には貢献したが介入が遅れたため中国においては、日本がドイツの租借地青島を攻め取るなどしたが、アメリカは、アジアでは何ら成果を挙げることができなかった。その後アメリカは、1922年のワシントン会議などにより「門戸開放」が実現されるよう図ったが、1932年の日本による満州国建国によりこの政策は崩壊してしまった。

第二章　米国の対ロシア戦略の失敗

◆第1節　ルーズベルトの光と影

さて、当時の日米両政府の状況に簡単に触れておくと、アメリカの大統領は第32代のフランクリン・ルーズベルト（1882~1945年）であった。彼が大統領に就任した1933年は、1929年に発生した大恐慌下にあったが、ニューディール政策と第二次世界大戦への参戦による戦時経済は、合衆国経済を世界恐慌のどん底から回復させたと高く評価されている。また当時の最先端を行くマスメディアであったラジオを通じて国民に直接語りかける「炉辺談話」は国民の心をしっかりと掴み、ルーズベルトの見解発表は、国民の士気高揚、鼓舞に大きな役割をはたした。なおルーズベルトは、唯一人、史上4選を果たした大統領である。同国の大統領は2選が慣例であったが、戦時の非常事態ということで1940年、1944年の大統領選挙に出馬し当選した。（4選目は任期中に死亡）1951年にアメリカ憲法が改正され、大統領の任期は正式に2期と定められたため、このような多選は彼が最後となった。付言しておくとルーズベルトは重度の身体障害者であった。

ルーズベルトの功績は先に述べたように、合衆国経済を世界恐慌の中から回復させたことである。実際には、そのケインズ流のニューディール政策だけで経済が持ち直したのではなく、その後起こった世界大戦による需要回復により経済が回復したのであると指摘する向きも多く、私もニューディール政策だけを礼賛することには抵抗を覚えるものである。また国民のアメリカ人としての意識を一つにまとめ、第二次世界大戦を勝利に導いたことは、彼の政治家としての最も大きな貢献であると思う。

一方ルーズベルトの功績は功績として、結果として負の部分として残したものは余りにも大きく、彼による世界政策の失敗は、その後のアメリカに大きく影響を及ぼし、その範囲は現在のアメリカだけではなく、多くの国々にマイナスの影響を与えているのである。それでは現在では余り論じられない彼の世界政策の失敗について詳述したい。

◆第2節　第二次大戦中のソ連への莫大な援助の失敗

ルーズベルトは、第二次世界大戦中、共産主義独裁者のスターリンに大きく肩入れしてナチスドイツ壊滅に大きな役割をはたした。1941年6月、折から欧州大陸を席巻して、残るイギリスと激しく戦っていたナチスドイツのヒトラーは突然ソ連との不可侵条約を破り、ソ連領内になだれ込み「独ソ戦」が開始されたのであった。独ソ戦はまさかの電撃作戦であったため、装備において劣るソ連軍は圧倒され、レニングラードの包囲、ミンスクの占領とドイツ軍は破竹の進撃を示し、モスクワも陥落寸前まで追い込まれた。

この状況に直面してアメリカとイギリスは、それまではソ連は友好国ではなかったにも拘わらず、ヒトラーの快進撃にあわてて、ソ連に膨大な援助物資を送ったのであった。すなわちルーズベルトはレンドリース法（武器貸与法）なる法律を制定し、1941年から45年にかけてイギリス、ソ連、中国（蒋介石国民党政府）、フランスやその他の連合国に対し、多量の武器その他援助物資を供給したのであった。1941年3月からこの援助は開始され、その総額は501億USドルにものぼったといわれている。（これは2007年の価値に換算して、実に7000億ドルに相当する）内訳はソ連には、113億ドル分の兵器その他が供給され、独ソ戦におけるソ連勝利の極めて大きな要因となった。援助の詳細が残っているので参考までに示すと、

（1）航空機用ガソリン、オイル　267万トン
（2）ジープ、トラック　38万台
（3）軍用機　14000機（一説には18000機）
（4）戦車　7056両
（5）高射砲　8000両
（6）機関車　1900両
（7）軍靴　1500万足

（8）無線機　16000台
（9）軍艦（大型および小型）　600隻
（10）商船　95隻
（11）食料　447万トン

この武器を主体とする援助が決め手となり、独ソ戦すなわち東部戦線の流れが一変したのであった。死に体であったソ連は、独ソ戦に勝利したのであったが、なるほどヒトラーという怪物独裁者を壊滅させることはできたが、一方でもう一人の怪物独裁者スターリンを育ててしまったのが、この援助であった。毒を持って毒を制したとルーズベルトは考えたかもしれないが、この後のヤルタ会談は、スターリンの一方的なペースで進められ、1991年のソ連崩壊にいたるまで東西両陣営は冷戦を続けることになる。

◆第3節　ヤルタ会談における失敗

1945年2月クリミヤのヤルタにおいてルーズベルトはイギリス首相チャーチル、ソ連首相スターリンと会談し、連合国による戦後処理について協議した。この首脳会談では特に戦後設立が決まっていた国際連合の憲章に関して論議が交わされたが、安全保障理事会における大国の拒否権について、ソ連の意向通り決定したのであったが、これは現在に至るまで禍根を残している。さらにドイツを米国、イギリス、ソ連、フランスの4か国で分割統治することを決め、東欧諸国のポーランドをはじめ、ドイツの支配下にあった国々に民主的な政府を樹立させることを決めた。これにより、いずれソ連が侵攻し衛星国化される危険があったが、ソ連のペースで事は進められた。

極め付けは、ソ連の対日参戦がドイツの降伏後3か月以内に行われることが決定したことであった。太平洋において日本軍は米軍に押しまくられ、米軍の勝利は目前であったのに、あえてソ連の参戦を許すなど真に不可解な取り決めであった。我が国は、今なおこのお蔭で北方4島が返却されず苦しんでいるのである。ルーズベルトはこの会談中（2月4日から11日）すでに体調を崩しており、すっかりスターリンの言いなりになり、その結果第二次大戦後の国際的な諸問題についてソ連に名をなさしめたのではなかろうか。事実この会談によりヤルタ体制という米、ソを軸とした二陣営が対立する冷戦構造がつくられ、1989年のマルタ会談による冷戦終結まで、この体制が続いた。極めて客観的にみて、如何に体調を崩していたとはいえ、アメリカの援助により息を吹き返したソ連の言いなりになるなど考えられないことである。特に我が国にとっては、アメリカに太平洋の各地で負け続け、白旗寸前のところにソ連参戦を許すなど、ルーズベルトはすでに正常な判断ができなくなっていたのではないかとさえ思うのである。事実、彼はこの会談からちょうど2か月後死亡している。

それにつけても不可解なのはチャーチルの態度である。ナチスドイツのヒトラーとあれほど激しく戦った、いわば救国の英雄らしくないように思われても仕方がない。ヤルタ会談の後、ドイツは5月に、日本は8月に降伏するのであるが、戦後を含めアメリカは、日本を叩きすぎたこともあり、以後冷戦という重い荷物を一人で背負い込んでいくのである。国際連合における拒否権については、今も中国やロシアによって自分たちのために都合よく使われており、国連の機能を阻害する元凶となっている。これ一つをとってもルーズベルトの失策の罪は重い。

第三章　米国の対アジア戦略の失敗

◆第1節　共産主義中国の成立に手を貸した失敗

中国では当時蔣介石率いる中国国民党と毛沢東を指導者とする中国共産党の二つの勢力があり、主導権を巡り激しく争っていたが、１９２４年ソ連主導のコミンテルンの仲介により第一次国共合作が成立する。そして両者による北伐が開始されるが、その後蔣介石一派による南京での国民政府樹立、上海クーデターなどにより共産党は弾圧され、この合作は頓挫する。そして北伐は蔣介石の手で継続され、１９２８年には北京政府を倒すことに成功する。その後国民党はさらに共産党を弾圧し、共産党政府は、西部のソ満国境に近い延安にまで追いやられる。しかし、１９３７年に日本との全面戦争が始まると、国民党と共産党は再び手を握り（第二次国共合作）国民党の指揮のもと対日戦争に当たることになる。

さて、前々から中国市場への「門戸開放」を唱え日本を邪魔者扱いにしてきたルーズベルトは、アメリカの世論を味方に付けた蔣介石の妻宋美齢を中心とする巧妙な外交手腕に乗せられ、16億ドルにも及ぶ多額な武器援助と軍事顧問団を派遣した。１９３７年の時点でアメリカは中国共産党にまで軍事援助を行った。アメリカにとって日本を倒してしまえば、太平洋はアメリカの海となり、蔣介石にとっては、日本を中国大陸から追い出すことにアメリカの力を借りるということで両者の思惑は一致していた。

しかし、ルーズベルトのやってきたことは、結局アメリカにとって、何の利益にもならなかった。すなわち、日本の敗戦により中華民国は戦勝国となり、国際連合の常任理事国になったものの、日本という共通の敵を失うと国共合作の意義はなくなってしまい、再び両者は激突して１９４６年６月から内戦が始まった。当初はアメリカの援助を受けた蒋介石率いる国民党軍は共産党軍を圧倒したが、ソ連の援助を得た共産党軍が盛り返し、腐敗と堕落の国民党から民心は遠のきはじめ、特に農村部では国民党の勢力が減退した。１９４８年８月から１９４９年１月の間に行われた大規模な三つの戦闘で共産党軍は決定的な勝利をおさめた。その結果１９４９年10月中華人民共和国が成立した。勿論この時点で、ルーズベルトは存命していなかったが、まさにアメリカの中国関与は、アメリカにとって何の利得をも得ることなく終わったのであった。

◆第2節　米国の満州国建国への対応

第二次世界大戦前の１９３１年日本の関東軍は、柳条湖事件を契機に中国軍と戦端を開き、満州事変を引きおこし満州全土を占領した。この行動は日本政府の意図に反した関東軍の暴走といわれているが、これに対してアメリカは強く反発した。しかし、米、英両国ともこの日本の侵略行為に対し経済封鎖などの実力行使に出なかった。日本は、これを良いことに１９３２年に満州国という傀儡政権を樹立した。そして、１９３３年無理矢理にこれを中国政府に承認させた。一方中国は、この問題を国際連盟に提訴したので、国際連盟はリットン調査団を派遣した。調査団は、関東軍の侵略の可能性を指摘したため、国際連盟の総会は満州国の不承認と日本軍の撤退を決議したので日本は国際連盟を脱退し、以後孤立の道を進んで行く。その後、日本と中国は宣戦布告なき戦争状態に入っていったが１９３７年に盧溝橋事件から全面的な日中戦争に突入する。

◆第３節　現在の日本にも影を落としているルーズベルトの失敗

反論があるかもしれないが、彼の失敗は、余りにも中国に肩入れして日本を叩きすぎたことではないかと思う。極東で日本の勢力を完全に駆逐したことにはそれなりの意味はあったと思うが、日本が姿を消して中国共産党、ソ連を抑える勢力がなくなってしまったのである。勿論アメリカが直接入っていくことはありえないから、アメリカの長年の夢である「門戸開放」は頓挫してしまった。

それだけでなくソ連と中国と対峙する冷戦が１９８９年まで続き、アメリカの負担は膨大なものとなった。アメリカは中国に対し幻想を持っていたのではないか。アメリカの中国贔屓は19世紀末に中国に渡った多くの宣教師達の影響があるといわれている。我々にはわからないが、彼等は、独特のキリスト教的優越感を持っており、それによると中国人は未開人種で人間以下のもので、したがって彼等を神の恵みにより善導することが必要であるという勝手な思い込みで、そこに政治的な思惑が入り込み、日本をないがしろにして中国に肩入れする考えが加わり、国民党の排外主義運動を助長して、満州事変の遠因をつくったのは事実ではないか。ルーズベルトの日本人嫌い、中国への肩入れは前記の考えと由来は同じである。

戦後日本の占領統治の責任者はマッカーサーであったが、彼の考え方はルーズベルトの考えに近いと思って差し支えない。

　太平洋戦争勝利後の占領地日本の統治には、日本を明治維新前の農業国に戻し、工業は最低限度のものとする。戦力は一切持たせない。そのために国際法違反の憲法を押し付ける。農地改革などはアメリカ本土にもないような厳しいものとする。結局これらの日本弱体化策は裏目に出て、特に戦力の不保持については既に1945年の朝鮮戦争でアメリカは、慌てふためき、日本に再軍備を要請した。ところが彼等が押し付けた平和憲法が災いして我が国は自衛隊なる組織しか保持していないのである。ルーズベルトが生きていればおそらく同様な政策をとったであろう。

第13話

社会保障費をどうするのか

税収に目鼻がつかず今や絶望的状況

２０１７年２月17日

総額２、１３３億円からなる平成28年度第３次補正予算がようやく１月31日に成立した。これは災害対策、テロ対策、弾道ミサイルに対する備えのためのものであるが、税収が減ったため、平成21年１月以来となる赤字国債を１兆７、０００億円も発行した。今回なぜこのような支出をしなければならないのかという、厳しい指摘があったことは事実である。付言すると、第３次補正予算など支出総額は前記の通り２、１３３億円であるが、内閣が当初補正予算として提示したのは６、２２６億円であり、低金利で国債の利払費が減ったことで歳出を４、１６４億円取りやめたため、この数字におさまった。しかし、28年度の三度の補正予算を含む歳出総額は、事業規模28兆円の経済対策などにより合計で、実に「１００・２兆円」となった。国民のほとんどが、歳出がこのような１００兆円を上回る数字になったことは知らないのではないかと思われる。

第一章　平成29年度予算案を読む

◆第1節　一般会計予算案規模は過去最大に

補正予算の与野党攻防を経て、いよいよ平成29年度の予算審議が始まるが、その予算案の概要は次のとおりである。一般会計の総額は「97兆4、547億円」と前年を0・8％上回る過去最大の規模である。内訳は次の通りである。なお（　）内の数字は前年比増減率である。

歳入

1、税収　57兆7、120億円（0・2％）
2、税外収入　5兆3、729億円（14・7％）
3、新規国債　34兆3、698億円（△0・2％）

歳出

1、政策経費　73兆9、262億円（1・1％）
内訳
①社会保障費　32兆4、735億円（1・6％）
②地方交付税交付金　15兆5、671億円（1・9％）
③公共事業　5兆9、763億円（0・0％）
2、国債費　23兆5、285億円（△0・4％）

◆第2節 「経済再生と財政健全化の両立」の実現可能性に疑問符

政府の自画自賛によると、今世間で問題となっている女性の社会進出のために保育士の待遇を充実させる。あるいは研究開発費の増額、高齢化により増加する社会保障費の伸びを5、000億円と目標の範囲内に止める。問題となる新規国債の発行額は、0・2%とわずかであるが減少する。

一方税収については甘い見立てではないかと思う。すなわち、平成28年度は円高による企業収益の悪化予想により、先に述べたように1・7兆円も減収となる。平成29年度は、トランプ新大統領への政策期待による円安によるV字型回復を見込んでいるが、今後トランプ大統領がいかなる政策を打ち出すかは不明なので、一本調子で税収が増えるかどうか想定は難しい。マイナス金利と国債金利を0%にする日銀の政策により、国債を保持する投資家に支払う国債金利を1・1%に下げ、5、000億円を節約できたのであるが、もしこれがなければ、借金は膨らんでいたであろう。

一方社会保障費のうち、所得の高い70歳以上の高額療養費の負担上限額を上げたり、価格の高い薬剤の価格を下げたりして社会保障費の上昇を押さえたりする目先の宿題は、どうにかクリアしたが、問題はこれからで、その道筋はついていないのではないか。

◆第3節 重大な岐路に立つ安倍首相の財政健全化改革

すなわち皆さんよくご承知と思うが、ベビーブーム世代が一斉に75歳を迎える2020年代以降の、膨大な支出の増額に対する根本的な手立ては、今のところ何等施されていないのである。私だけではなく、事情のよくわかった国民が大変不満に思っているのは、安倍首相は4年前にアベノミクスを掲げ、異次元緩和による円安、株高により企業や消費者のデフレ心理を変えたのは確かである。さらに法人税率の引き下げ、企業ガバナンスの強化も進めた。また一方で、海外からの訪日客を呼び込むための規制緩和も進んだ。しかし、ここが大事なところであるが、安倍首相は将来の財政や、福祉の安定に関する痛みを伴う改革からは常に逃げ腰なのではないかと思われる。

具体的には、2019年の10月に再延期された消費税の増額実現は本当に可能なのか。一方、あれほど公約していた2020年度における、税収と税外収入で国債を除くすべての政策経費支出を賄うという、プライマリーバランスの均衡は、税収に目鼻がつかなくなってきたため、絶望的になってきている。今に始まったことではないが、我が国は、まさにある意味で、存亡の危機にある。金融緩和頼みにはもう限界が来ており、我々がここで安倍氏に求めるのは、構造改革である。2017年度の予算案を見ても、政策に使う経費の55%は社会保障費なのである。今後さらに高齢化は進み、一段と社会保障費は増加する。一方では格差の是正や技術改新への投資には、今後益々ウェイトをかけていかなければなるまい。

安倍政権がどういう方向を進むべきか、は明らかである。すなわち「社会保障の改革」こそ、最大のポイントである。家計や企業が消費や投資に向かわないのは、この問題に手をつけないことに対する将来への不安があるからである。今こそ安倍政権は、勿論野党やその他の勢力を巻き込み広い視野に立った次世代の安心を考え、構造改革を進めるべきである。にもかかわらず安倍政権は、社会保障費抑制のための改革に消極的である。例えば、後期高齢者の保険料軽減措置を縮小する案が浮上しているが、高齢者の反発を恐れ、議員の動きは停滞しているが、これこそシルバー民主主義の典型と言わねばならない。現在の政治の一番の問題点は、問題から逃げることにあるのではないかと指摘する人は多い。

第二章　社会保障費の中で突出する「医療費」と「介護費」

◆第1節　薬剤費が国防費を超える驚き

社会保障費の中で突出して多額な国民医療費について国民の大半は、その実態にそれほど詳しいとは思えないので、その内容について触れると、国民医療費とは1年間に支出される我が国の医療のための総費用である。これは公費負担を含んだ保険給付費、生活保護などの公費が負担する医療費、それに窓口での自己負担経費を足したものである。国民医療費の直近の総額を並べてみると、以下（　）内は総額前年比

平成24年度　39兆2、117億円
平成25年度　40兆　610億円（2・1％）
平成26年度　40兆8、071億円（1・8％）
平成27年度　41兆4、627億円（1・6％）

となっており、2％程度着実に増加している。厚生労働省の直近の発表によれば、平成26年度の国民医療費の総額は、前出の通り40兆8、071億円であるが、前年度に続き8年連

続して過去最高であった。発表では、高齢化や医療技術の進化がその要因といっているが、合理化の余地はないのか?この額は、国民一人当たりでは321、100円（2%増加）で65歳未満では179、600円であったのに対し、65歳以上では720、400円となっている。診療種類別の内訳を示すと、

入院	15兆2、641億円	（37・4%）
入院外	13兆9、865億円	（34・3%）
薬局調剤	7兆2、846億円	（17・9%）
歯科	2兆7、900億円	（6・8%）
その他	1兆4、819億円	（3・6%）

であり、財源別にその内訳をみると

保険料	19兆8、740億円	（48・7%）
公費	15兆8、525億円	（38・8%）
患者自己負担	4兆7、792億円	（11・7%）

となる。

前記について考察すると、薬局調剤費（薬剤費）が7兆円を超えており、この数字には驚かされる。何となれば我が国の国防費は、やっと5兆円を超えたばかりなのであるからその数字の突出は異常である。今後医療品の開発が進めば、さらに高価な薬品も例えば最近話題になったオプジーボのような薬が現れるからこの数字は今後増加するであろう。厚生労働省は、躍起になって特許切れとなったいわゆる「ジェネリック薬品」の使用を推進しているが、

現状では目立った効果は現れていない。国民が知らないことでもう一つ残薬（飲み残しの薬）についてである。国民の高齢化に伴い処方される薬の種類、量が増えると共に処方されながら使用されずに放置されているいわゆる残薬が目立って来ている。日本経済新聞の報道によれば、直近では残薬の金額は年間５００億円になるとされている。ここにも当然もっと対策を講じる必要がある。

◆第2節　年間1兆円の自然増に対して消費税アップは不可欠

高齢化、医療の高額化、さらに景気の停滞などによって自動的に社会保障費は増え続けているわけであるが、２０２５年には団塊の世代が75歳以上の後期高齢者となり、人口を占める65歳以上の割合が30・３％、75歳以上の割合は実に18・１％にもなる。当然国はこれに伴う社会保障費の自然増の割合を抑制しようと考えているが、このまま何の策も打たずに手を拱いていると、年間１兆円も増加すると言われている。現に、２０１７年度の予算で自然増を厚生労働省は6、４００億円と見積もったが、政府は２０１６年～２０１８年度の自然増を１・５兆円に抑える目標を掲げており、２０１７年度は1、４００億円圧縮して5、０００億円に抑える方針を打ち出している。社会保障給付費の伸びについて同じく日経は次の通り予想している。

２０１２年度　総額１０９兆円
　内訳　その他　12兆円
　　介護　8兆円

医療　　　35兆円
年金　　　54兆円
2025年度　総額149兆円
内訳　その他　15兆円
介護　20兆円（2・3倍）
医療　54兆円（1・5倍）
年金　60兆円（1・1倍）

このようにしてみると、医療と介護が社会保障給付費の元凶であることがよくわかる。政府は前記のとおり自然増6、400億の内、1、000億円を医療費で、400億円を介護保険制度の改革で圧縮を実現しようとしているが、消費税を大幅に上げない限り、今のままでは対処できない。そこで、政府は大筋として、余力があると見られる高齢者に一定の負担を求める考えを打ち出している。

注釈「高齢者の負担増について」

負担拡大の具体策は、毎月の医療費負担の上限を定めた「高額医療制度」と75歳以上が加入する「後期高齢者医療制度」の保険料の軽減措置の見直しが対象となる。具体的には、

(1)前者の高額医療費は、70歳以上を対象とする外来の負担を軽くする制度を段階的に廃止する。現在は入院費より低くなっており、仮にこの制度を完全に廃止すると年収370万円以上の現役並みの所得者の負担は、現在の4万4千円から8万円以上になる。一定の収入のある「一般所得者」の場合、1万2千円から5万7千円となる。

(2)後者の75歳以上の高齢者の保険料については「元被扶養者」とされる専業主婦らと夫の年金収入が153万円から211万円の人への軽減措置を段階的に廃止する。

(3)その他、65歳以上の比較的症状の軽い入院患者には、一日当たり現在320円の光熱費を370円に引き上げる。紹介状の無いまま大病院を受診した場合、初診料で5、000円以上の追加料金を取る範囲を拡大する。全国健康保険協会（協会けんぽ）に対する補助金を削減する。超高価な抗がん剤の公定価格を半減して国費を180億円圧縮する。

◆第3節　介護保険支払い急増には自己負担増による歯止めを

さて、介護保険もこのまま推移すると2025年には20兆円と2012年の8兆円の2・3倍になることは先にも述べたとおりで財務省もこの点については真剣に捉えている。すなわち、厚生労働省は費用の膨張に対応して収入の高い大企業の会社員が負担する介護保険料を増やす。年収に連動して保険料を増減する「総報酬制」を本年8月から4年間かけて導入する。完全実施した場合には年収が456万円なら一人当たりの保険料は月額727円増える。高齢者にも収入に応じた負担を求める。65歳以上の高齢者で現役並みに所得がある人を対象に2018年8月から自己負担を3割に、65歳から70歳の自己負担を原則2割にアップすることを考え、通常国会に提出することになっている。また75歳以上の高齢者も負担を早急に2割とすることを進めている。現行の制度では一般に年齢が高くなる程所得が減少する事情に鑑み、高齢者ほど公費の負担を手厚くしている。政府は今回の改革で高齢者でも経済的負担能力のある人には負担を求めていく方針を明確に打ち出している。ただ、改革案に賛成者がある一方、日本医師会は、高齢者というだけでも弱い立場であり、それに負担をかけるのは反対であると論じており、政府与党内でも選挙がらみでシルバー民主主義を懸念する議員達の中には反対意見もあり、どこまで実現するのかは不透明である。

第三章　年金改革について

◆第1節　マクロ経済スライドの見直し

最後に、年金であるが、年金支給額を抑える主旨を盛り込んだ改正国民年金法が与党の手により昨年12月14日に成立した。今回の改正案については、その主旨が現役世代の取得できる年金水準を低下させないための法改正であるが、野党は「年金カット法案」であると食い下がり、混乱したのであった。その支給抑制案をみると、二段構えになっており、まず2018年4月に年金支給額の伸びを、賃金や物価の上昇により抑える「マクロ経済スライド」を見直すことになった。賃金や物価が低迷する景気の後退局面では支給額の抑制を凍結した場合、物価が上昇した時点で複数年度をまとめて引き下げられるようにする。これまでマクロスライドは物価が下がった時には実施できなかったため、過去においてはたった一度しか実施できなかった。このため支給額は、一度しか減らしていない。

◆第2節　マクロスライドを実際に実行することとの重要性

覚えておられる方も多いと思うが、2004年に「100年安心」と大見得を切って鳴り物入りでマクロスライドを導入したが、もらえる年金額が現役世代の所得のどれくらいかを示す所得代替率を2004年度59％であったものを50％にまで下げることを決めていた。ところがデフレが続き、物価が上昇しなかったため所得代替率は一時60％にまで上昇してしまったのであった。今回先送りしてまとめて後で年金額を引き下げることにしたため、年金額上昇の一応の歯止めになるが、実際にたまったツケをどこまで一度に請求できるのか、実施段階では揉めるのではないか。さて、毎年の年金支給額は物価および現役世代の賃金の変動によって決定される。これまでは賃金が物価より下がった場合、年金額を据え置いたり、物価に合わせたりして見直してきた。2021年度からは賃金が物価より下がった場合、賃金に合わせて年金を改定することになった。このため物価が上がっても賃金が下がれば年金額は下がる。すなわち、賃金が安定的に上昇することがなければ名目上の年金は下がる。今年金を受け取っている高齢者にとっては、大変厳しい局面となる。民進党などの野党が「年金カット法案」などと言っているのはこの点である。

◆第3節　持続性確保こそが最大の課題

ただ若者世代の立場に立ち年金の持続性を考えるならば、以上述べたように年金水準を徐々に下げていくことで将来の年金水準を維持していこうという方向は正しいと思う。もし支給額の抑制が頓挫した場合、虎の子の積立金が尽きたり、将来もらえる年金の額が大きく減ったりすることが現実になるからである。識者の意見によると年金制度はマクロスライドを毎年実施しないと維持できない状況に追い込まれており、今回の改正でも不十分といっている。

■おわりに

以上述べてきた社会保障費の問題について慶應義塾塾長の清家篤氏は、昨年6月日経新聞に次のように寄稿しているので紹介しておきたい。なおマクロ経済スライドについてはその後変更になっている。

《超高齢化社会の社会保障は財政的持続可能性が基本命題》

戦後70年間の高齢化は世界に類を見ないものである。65歳以上高齢者は、70年前は人口の5％未満（人口20人に1人）の割合であったが、現在は26％で4人に1人以上の割合である。高齢化のスピードは実に我が国が人口の7％から2倍の14％になるまで24年間であったが、日本より先に高齢化が進んだ欧州、例えばフランスは、同じことに114年を要している。もう一つ重要なことは、高齢者の中で比較的若い65歳から74歳と75歳以上の比率が終戦直後は3対1であったが、現在では1対1である。そして、団塊の世代が75歳以上になる2025年には75歳以上のより年を取った者の比率がより若い層の実に1・5倍になる。このような超高齢化時代において年金、医療介護などの社会保障給付は急増していく。そのための財政的持続の可能性が問われるようになった。

《医療と介護は、労働力人口増加の諸施策、および給付と負担の見直しを》

勿論この高齢化をもたらした長寿化は間違いなく戦後日本の実現した成果であるが、これに貢献した社会保障制度の存在は大きい。この世界に冠たる社会保障制度を確実に次世代にまで残していくため、我々の世代でしっかりとした改革を進めていかなければならない。一つは少子化に歯止めをかけることである。子どもを欲しいと思っている人達の出産、子育てを難しくしている長時間労働を是正すると同時に社会保障給付の中で子育て支援の給付を高めることが不可欠である。さらに大切なことは高齢者の就労促進により社会保障制度の支え手である労働力人口を確保することである。また、高齢者だけではなく、女性の労働力率を高める必要がある。次に重要なことは社会保障の給付と負担の見直しが不可欠である。特に医療と介護は今後増加する75歳以上のより高齢者の増加や医療、介護の質的な向上による単価の上昇により給付の総額が高齢者人口の増加率を上回るペースで増加することが予想される。そのためには医師、看護師、介護福祉士などを十分に確保し、その協力を仰がなければならない。

《年金は65歳以上でも働ける社会の実現、および非正規労働者の正規雇用を》

これに対して年金改革は決して簡単ではないが、前記の問題に比較して進めやすいと思っている。なぜなら、これは比較的単純な構造の問題だからである。すなわち、給付の総額は一人当たりの給付額と年金受給者の積として確定しており、伸び率も年金受給者の増加率と同じ程度にとどまる。その給付の国内総生産比率は経済が順調に成長し、マクロ経済スライドが実現すると２０１２年度の11％から２０２５年度には約10％に微減すると予測している。

年金の問題は保険料や税を合算して、年金を給付するという基本的には金銭だけの問題であり、年金受給開始年齢や保険料、給付額といった歳入と歳出の枠組みを変えることによって実現できる。実際厚生年金の受給開始年齢は男性についてはすでに定額部分は65歳に引き上げられており、報酬部分もその方向に進みつつある。また、保険料の上限は、厚生年金は18・3％（労使折半）国民年金は16、900円と定められており、その範囲内で給付が賄えるように給付の伸びを物価の伸び以下に抑えるマクロ経済スライド制が導入されている。この枠組みにより公的年金制度の財政的な維持可能性は確保されていると言ってよい。マクロ経済スライドは年金の実質的給付額を引き下げることにより制度の持続可能性を高めることを意味している。

年金生活者にとっては、年金を受け取り始めてから年が経つにつれて実質購買力が低下する。これを回避するためにはマクロ経済スライドにより年金の実質価値が下がってもなお、十分な生活水準を維持できる程度の当初の受給額（裁定額）を確保しておく必要がある。そのためには年金受給開始年齢を繰り上げる必要がある。現在65歳がその時期となっているが、65歳以上になっても（65歳～74歳）働き続けられる社会を目指していかなければならない。

もう一つ、雇用者の老後を年金給付で支えるという点では雇用者のための年金である厚生年金の適用拡大が残された大きな問題である。非正規雇用者は雇用者の三分の一を超えているのが現状であるが、これらは厚生年金の適用外となっている。非正規雇用者を正規として雇用すると、厚生年金保険料を拠出しなければならないのでそれを避けるため非正規の雇用者が増えており、雇用者は全員原則として厚生年金に加入する方向で改革すべきである。

第14話

カルタゴの故事に我々はどう倣（なら）うか

自国は自分の手で守らねばならない

2017年6月30日

皆さんは、世界史の学習の中で紀元前（以下BC）3世紀にローマと覇を争い三次にわたるポエニ戦役の結果、滅亡したカルタゴのことをご存知の方は多いと思う。

特に、第二次ポエニ戦役の中でローマを、後一歩まで追いつめたハンニバルについては、塩野七生氏がローマ人の物語の一編「ハンニバル戦記」として詳しく書いており、お読みの方も多いと思う。なぜ今頃カルタゴのことを書くかというと、軍備を他国に委ねた結果、滅亡した商業国家カルタゴが、現在の我々日本に酷似しているからである。

第二章　カルタゴの創生

◆第1節　カルタゴはフェニキア人により建国された

カルタゴはフェニキア人が建国した海洋商業国家である。フェニキア人について語ると、彼等は元々エジプトやバビロニアなどの古代国家の狭間にあたる、現在のレバノン地域に居住していた民族で、次第にこれらの文明の影響を受けて文明化し、BC15世紀頃から都市国家を作るようになった。そしてBC12世紀頃から盛んに海上交易を行い、北アフリカからイベリア半島にまで進出して、地中海全域をまたにかけて活躍し、各地に植民都市を建設した。カルタゴは、BC9世紀、伝説によれば、テュロスの王女エリッサによって建設された都市ということになっている。テュロスとはツールともいうが、フェニキア古代都市で地中海の東岸にあり、元来は島であった。現在はレバノンの一都であるが、元々はフェニキア人による一都市に過ぎなかったのである。その後フェニキアの都市国家間の覇権を握り、国外にも植民地を建設した。彼等は、レバノン杉を使用した船を操り航海術にすぐれ、工芸や染料生産などの技術を持ち、地中海で覇を唱えた。カルタゴは、彼等の最も有名な植民地である。フェニキア人はどこから来たかについては、彼等はヘブライ人に近くユダヤから来たとの説も有力である。

◆第2節　生存と繁栄を海洋に求めたフェニキア人

彼等は前出の通り今日のレバノン、パレスチナにあたる細長い海岸地域に進出していたのであるが、陸上では、周囲に強敵がひしめきあっていたため、その生存と繁栄の道を専ら海洋に求めたのである。テュロスの町は海岸から数百メートルの島にあったが、その町が長年に亘り攻略されなかったのは、彼らが多くの船を持っていたおかげである。BC14世紀にクレタ島のクノッソスが滅亡し、その艦隊の脅威がなくなると彼等はさらに西方に進入した。テュロスには、アラビアの香辛料、バルト海の琥珀、ユダヤの食糧、エジプトのリネン、キプロスの銅などの有力商品が集結し、さらに西方スペイン方面にまで活動範囲が広がった。

◆第3節　交易の中継基地として発展したカルタゴ

そうなると当然フェニキアとスペインの間に、中継基地が必要になったことは理のあるところである。この頃の船は、悪天候に弱い細身の櫓船で、航海術も幼稚なものであったから夜間の航行は難しく、めったに岸から離れることはなかった。当然海を渡るためには、沿岸沿いに船を進めるか島伝いに進むしか方法はなかった。したがって、レバノンからスペインに向かうためにはヨーロッパの沿岸伝いか、北アフリカ沿岸を行くかであったが、比較的直線で距離の短い後者の方が好まれた。また競争相手（ギリシア人）の海洋国の海賊が出没する率もアフリカ沿岸の方が少なかった。アフリカ大陸の北辺を手さぐりで進むうちに、彼等は東方からの勢力も、民族移動の波も未だ及んでいない広大な海岸地帯を見出したのであった。

ここは、荒涼たる砂漠が陸からの敵の接近を阻み、海岸には断崖絶壁と、良港はほとんどなく海からの接近が難しい地域でもあった。フェニキア人達はこの地に中継基地をつくることを思いつく。しかし、ここは不毛の海岸地帯で寄港地をつくる場所は限られていた。即ち原住民の農耕地の余地があり、また港が必要であった。これらの条件を満たすことのできる、ごく限られた地域に設けられた中継地だけが、植民地へと発展していったのである。中でも特に秀でた地域が現在の北方チュニジアである。

長靴といわれるイタリア半島のつま先に最も近いこの地方は、土地は肥沃で気候も穏やかであったから、早くから航海者の関心が集まっていた。そして、タルシン（スペイン）とレバノンのちょうど中間点に当たる、チュニス湾こそ最も船乗り達にとって都合のよい場所であった。

難点は、東西貿易の関所ともいうべきシチリア海峡が目と鼻の先にある点で、これが将来不吉なものとなったのである。（ローマとの対立）彼等は、この地に幾つかの植民都市を設けたが、その中でもカルタゴは、典型的フェニキア人好みの土地で、実際母国テュロスと極めて類似していた。この都市の誕生年度は第一回オリンピアードの38年前、即ちBC８１４年と伝えているが、確かな証拠はない。歴史上カルタゴが登場してくるのはさらに1世紀後である。この頃のカルタゴの繁栄は歴史に記述されているが、中でも当時のペルシア王がエジプト遠征後、自己の王冠の宝石を取得するためカルタゴに遠征軍を送ったという記録がある。しかし、この軍隊はリビア砂漠に入り消息を絶った。全滅したのであろう。新しい町カルタゴが発展する一方、古いフェニキアは衰退していった。

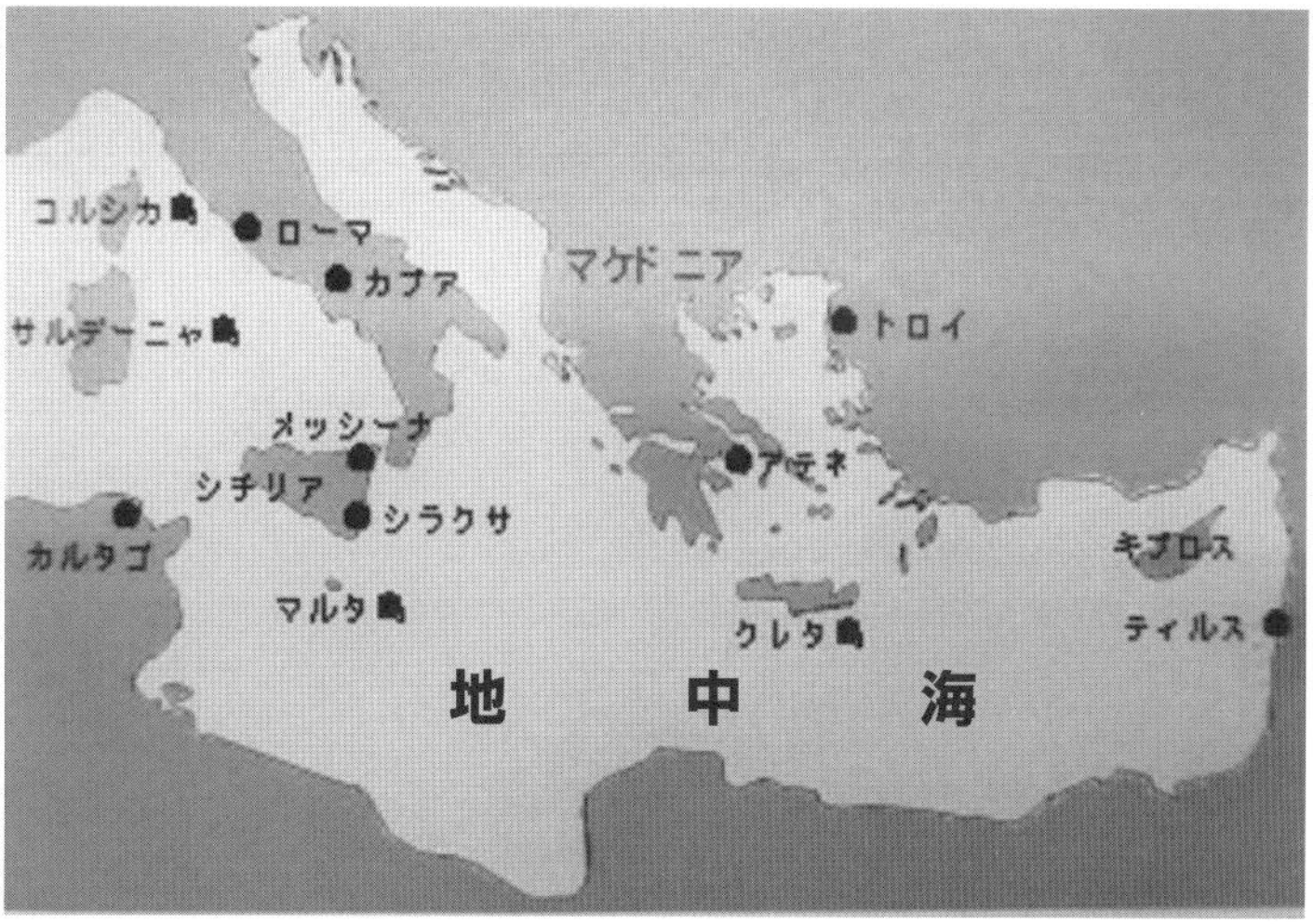

テュロスは、カルタゴが母国を援助できるほど強大になる前に、アッシリアやバビロニアの軍隊に蹂躙され、カルタゴは母国の難民を救うだけではなく、自身が力を付けてきたギリシアなどの海洋民族から自らを守らなければならない立場となる。フェニキアの植民地は、各地で危険にさらされていた。ギリシア人はフェニキア人と同じくらい航海術に優れ、商売の競争に敗れると即座に海賊となり攻撃をしてくる手ごわい相手であった。このためフェニキア植民地は次々と消えていき、ついにチュニジア地方だけが残ったのであった。BC5世紀初頭よりカルタゴはこの地域の商業の中心となり、それはポエニ戦役でローマに敗れるまで続いた。カルタゴは、この地方のフェニキア人の古代都市や古代リビアの諸部族を征服し、現在のモロッコからエジプトに至る北アフリカ沿岸を支配下におさめた。一方地中海ではサルディニア島、マルタ島、バレアレス諸島を支配し、イベリア半島にも植民都市を建設した。この後、カルタゴは自分の玄関先にあたるシチリア（シチリア島）を巡りギリシア人勢力と長期間にわたり抗争を繰り返すことになる。

第二章　シチリア島を巡りギリシアと大紛争

◆第1節　カルタゴはシチリア戦争で敗北

シチリア島は位置的にもまた大きさからいっても大変重要で、BC6世紀頃からギリシアの植民都市が多数つくられていた。カルタゴは他国を圧する強力な海軍力を有していたが、カルタゴのシチリア進出と覇権の拡大は、シチリアを含め地中海の中央部で確固たる勢力を持っていた、ギリシアとの対立を増大させていった。当然シチリアの領有権を巡り絶え間ない係争が起こる。具体的にはBC480年、ギリシア植民都市シラクサがシチリア全土を統一しようとしたことから、カルタゴとの間に大きな紛争が起こる。しかし、カルタゴから送られた大規模な遠征軍は悪天候に見舞われるという不運もあり、シラクサに大敗してしまう。

◆第2節　共和制移行で国力急回復

この敗北により大損害を受けたカルタゴは、弱体化し、政体も貴族制から共和制に移行せざるを得なくなる。しかし共和制による効果的な改革の結果、カルタゴの国力は急回復し、旧来のチュニジア地方はもとより北アフリカ沿岸に新たに植民都市を建設した。さらに、サハラ砂漠を越えてアフリカ奥地にまで浸透し、モロッコやセネガルにまで版図を拡大した。

国力の回復に伴い再度シチリアへの進出を図り、BC409年シラクサを攻めるが、ギリシア側も頑強に抵抗したためカルタゴは勢力を回復できなかった。シチリア島はカルタゴにとって生命線であったから、カルタゴはこの地に固執し続けた。以後60年以上にわたり、この島でのカルタゴとギリシアの競いは続いたが、カルタゴは劣勢でBC340年に島の南西の隅にまで追いつめられた。BC315年シラクサが、カルタゴの重要拠点アクラガスを攻めるが、カルタゴは反撃してシラクサを包囲した。

◆第3節　シチリア島にローマの勢力が進出

この頃からローマの力が強くなってきた。ギリシアは南イタリアに植民都市を持っていたが、ローマの力が強まり、ギリシア勢力を南イタリアから駆逐する。そしてギリシア植民都市ターラントを占領することによりローマは、イタリア全土を支配することになる。その結果、西地中海における政治勢力の均衡に変化が現れ始め、シチリア島におけるギリシアの拠点が明らかに減少する一方ローマの強大化、領土拡大の野望が顕著となり、ローマとカルタゴが直接対決することが必然となってきた。直接引き金になったのは、BC288年シラクサ王が死去すると内乱が起こり、そこにカルタゴが関与してシラクサと共同して反乱分子を鎮圧することになる。その結果反乱軍の拠点、イタリア半島に近いメッシーナをカルタゴ軍が制圧したため、ここに守備隊が常在するとともに、港にはカルタゴ艦隊が停泊することになった。これはローマにとって極めて大きな脅威であった。

ここにローマはカルタゴと開戦する決意を固め、ローマ軍はメッシーナのカルタゴ軍を攻撃したことにより、以後約1世紀に及ぶ3次にわたるポエニ戦役の幕が、切って落とされたのであった。

第三章　地中海の覇権を賭けたカルタゴとローマの戦い

◆第1節　第一次ポエニ戦役（BC264年～BC241年）

この戦いは、シチリア島を巡る一連の戦争と海戦がそのハイライトである。

この戦いは、先にも書いたようにシラクサの内戦に起因しているが、これに乗じて介入したカルタゴ軍が、イタリア半島と目と鼻の先にあるメッシーナを攻略したことにより、ローマが危機感を持ち始まった戦争である。その経過は海戦では当初不利であったローマが、新しい接舷戦闘方式（コルビー）を編み出し、カルタゴ海軍を圧倒するようになり、陸戦では一進一退を重ねたのであったが、最終的には、ローマ艦隊がアエテガス沖海戦（ＢＣ２４１年）で完勝し、シチリアにおけるカルタゴ軍は補給路を遮断され降伏せざるを得なくなる。

こうしてカルタゴはシチリア島を放棄せざるを得なかった。シチリアの争いは終わったが、両国ともまさに国家財政は疲弊して、カルタゴはシチリアという北方の足がかりを失った。国庫は空になった上、和平条約では３２００タレント（1タレント銀26kg）という賠償金をローマに20年年賦で支払うことになった。長い戦いの果てにカルタゴが敗北した。原因は将軍の能力ではなく、ローマおよびイタリア軍の徴兵兵士層の厚さであった。カルタゴはローマがいわば国民兵であったのに対し自国民の軍隊を持たなかった。すべて他国民の傭兵に頼っていたのであった。

◆第2節　第二次ポエニ戦役（BC218年～BC202年）

この戦いは、ハンニバル戦争ともいわれるが塩野七生氏の「ハンニバル戦記」に詳しく述べられているので細部には触れない。ハンニバルの父親ハミルカス・バルカ将軍は第一次ポエニ戦争でシチリアにおいて、ローマ軍を後一歩まで追いつめた勇将であったが、早くからイベリア半島（スペイン）においてカルタゴの植民都市の経営に尽力していた。

息子のハンニバルは父親の遺志を継ぎスペイン植民地の経営を行い、イベリア半島を制圧し、諸新部族をまとめ軍隊を養成していた。

ハンニバルはまずイベリア半島を制圧し、ローマと同盟していたサグントゥムを陥落させ、ここに第二次ポエニ戦役が始まる。ハンニバルは5万の兵と戦象37頭を従え、ピレネー山脈を越えてガリア（フランス）に入り、さらにアルプス山脈を越えてイタリアに進軍する。約2000年後ナポレオンが越えたのと同じ道である。そしてイタリア半島各地でローマ軍を撃破し、BC216年半島中部のアドリア海に面したカンナエ（カンネー）でローマ軍に完勝して、ローマ落城もあとわずかと思われたが、彼は、敵地での補給に不安を抱えていたため、直接ローマ攻略には向かわず、イタリアの諸都市をローマから切り崩す作戦に出た。敗北に危機を感じたローマは以後「持久戦法」を採り、平野における会戦を避け持久戦に徹し、ハンニバルのローマへの進軍を許さず以後約15年に亘り一進一退の膠着状態が続く。カルタゴ本国はハンニバルの懸念どおり彼との連携補給を充分に手当てしなかった。

その間に、ローマには若き英雄スキピオが登場した。彼はこの膠着状態の隙を突き、ハンニバルの根拠地であるイベリア半島の攻略に成功する。勢いに乗ったローマ軍は北アフリカへ逆侵攻し、カルタゴ軍を破る。カルタゴはこの敗戦に狼狽し、イタリアで戦っていたハンニバルを本国に召還してしまう。その後ＢＣ２０２年スキピオとハンニバルの両将は、カルタゴ近郊のザマで激突する。戦いはスキピオの勝利に終わり第二次ポエニ戦役はカルタゴの敗北に終わる。休戦条件は極めて厳しいものであった。保有できる船舶はわずか10隻となり賠償金は1万タラント（50年賦）の巨額となった。その上一番カルタゴにとって打撃となったのはアフリカ以外での戦争をかたく禁じられたことで、さらにアフリカ内の戦争についてもローマの許可が必要となった。もはや主権国家とはいいがたい状況で、西隣にはヌミディアという遊牧民族の国家が存在し、その王マシニッサはかねてからカルタゴの領土に野心をいだいていた。これを防衛するためにいちいちローマに許可を求めなければならない。ローマが必ず許可するとは限らない。後年このことがカルタゴの命取りとなったのである。ハンニバルはカルタゴの習慣からは異例であったが罰せられることはなかった。彼はこの過酷な和平条約の必要性を説いたのである。そこに軍人だけではなく政治家としての真骨頂がある。ハンニバルはしばらく軍の総司令官に止まるがＢＣ２００年ローマの要求によりその地位をしりぞく。

ハンニバルは軍をしりぞくが行政長官として徹底的改革を企てる。

しかし、カルタゴ貴族階級は腐敗していた。ハンニバルに反対する貴族階級は、ローマの貴族階級と手を結びハンニバルの中傷を繰り返し、ついに彼を亡命せざるを得ない立場に追い込む。ローマは亡命した彼を最後まで追いつめＢＣ１８３年、１８２年ともいわれるが、小アジアのピチュニアでハンニバルは自裁して果てる。

◆第3節　第三次ポエニ戦役（BC149年〜BC146年）

BC191年カルタゴは賠償金の残額を一度に支払いたいと申し出る。先の敗戦からわずか10年である。ハンニバルの改革に加え財政状況がよくなったのは、軍備を持つことをローマから禁じられたためである。警戒したローマは賠償の全額支払いを許可しなかった。できるだけ長くカルタゴに従属感を持たせておくことが狙いであった。

食糧を中心とする貿易が再び活発となり、社会の管理状況も安定してきた。問題はヌミディア王マシニッサの存在である。彼は遊牧民の王にもかかわらずすぐれた政治家であった。豊かなカルタゴを手中におさめ遊牧民の生活を安定させることを終始考えていた。マシニッサがカルタゴ領に侵入して領土を奪い取っても、何時も腰をかがめてローマに調停を頼むしかなかった。だがローマはその問題を真剣に解決しようとしなかった。

大体ヌミディア寄りの判定を下し、カルタゴはじり貧状況に追い込まれていった。

BC160年頃からカルタゴの忍耐も限界に近づいて行ったのである。そしてこのことをローマに直接訴える。しかし、これは裏目に出る。当時ローマ元老院の最長老として君臨していた大カトーは、直接カルタゴを視察してカルタゴの再建と繁盛ぶりに激し、憎しみを持つのである。彼は、元老院をカルタゴ滅亡へ動くよう画策する。BC151―150年マシニッサとカルタゴは衝突し、今回カルタゴは自ら2万5千人の兵士を動員し、ヌミディアの国境を越える。この状況を見てローマは、カルタゴに宣戦布告する。カルタゴはローマに許しを乞うが、ローマは無条件降伏なら受け入れると宣告し、元老院議員の子息300人を人質に出すこと、カルタゴ市内にある武器を一切差し出せと命じ、実行する。さらに最終条件を突きつける。即ちローマは、カルタゴ市の全面的破壊を決定したので、市民は全員城内から立ち退くべしと。当然これをカルタゴは拒否し、ローマ軍は、カルタゴ城内に攻撃を加える。カルタゴは、まさに全員玉砕を念頭に急遽新しく武器をつくり、徹底抗戦したのであった。ローマ軍は相手をみくびり短期間で占領できると考えていたが、カルタゴ側は必死に応戦した。しかし食糧も武器も底をつき、ついにBC146年落城した。市内の建造物は、すべて破壊され住民のほとんどは殺されるか奴隷とされた。ローマ人のカルタゴへの敵意はすさまじく、破壊した後の土地をすべて塩で埋め尽くし不毛の土地にしようと試みたのであった。この戦争の結果ローマは地中海を完全に制覇して以後世界帝国へと歩んでいく。

第四章　カルタゴの故事は日本の教訓

◆第1節　カルタゴの滅亡は今の日本に酷似

長々と古代の商業国家カルタゴの興亡を物語ったが、この事実は現代の我々日本に多くの示唆と教訓を与えてくれる。カルタゴは古代の国家であるから当然現代の日本とは違うが、その滅亡については驚く程、太平洋戦争に敗れた我が国と類似している。また敗れた原因もそうであるし、現在の日本は、古代のカルタゴの轍を踏まないかと懸念するのである。我が国は、明年、明治維新150周年を迎える。即ち1867年我々は長い封建体制からの眠りから目覚め、近代国家への道を目指す。具体的には西洋文明を積極的に取り入れ、富国強兵に邁進する。以後わずか30年で日清戦争、続いて10年後に日露戦争に勝ち、朝鮮、台湾、南樺太へと領土を拡大する。強国への道を歩む日本は、アメリカ海軍に匹敵する海軍力を保持し、太平洋をはさんでアメリカと対峙する。太平洋国家を自負するアメリカは、実は中国の権益に大きな野心を持っていた。日本が朝鮮に隣接する地域に、傀儡国家満州国をつくったためアメリカを大いに刺激した。さらに日本は、中国との戦争へ深入りしためアメリカ大統領ルーズベルトはこれを叩こうと狙っていた。日本は、ルーズベルトの策略にはまり、1941年我が連合艦隊はハワイの真珠湾を奇襲して太平洋戦争が始まる。一方日本は資源の獲得を目指して南進し、マレー半島からシンガポールへ進み、これを陥落させ、英国軍を極東から一掃する。さらにフィリピン、インドシナ、インドネシアをも攻略し、フランス、オランダの勢力をも駆逐した。しかし1942年半ば頃から生産力、技術力に勝るアメリカは反攻に移り、ミッドウェー海戦以降日本はガダルカナル、硫黄島、沖縄と敗退を続け、ついに広島と長崎に原爆が投下されポツダム宣言を受諾し、1945年8月日本は無条件降伏にいたった。

日本列島以外の領土は返還され、アメリカが決めた現在の平和憲法（?）により戦争の放棄と戦力の不所持が決められた。しかし1950年6月、戦後激しくなった米ソ対決の中から、突然北朝鮮軍が韓国に侵入して朝鮮戦争が起こり、あわてたアメリカは日本の再軍備を決めたが、しかし自ら作った平和憲法が足かせになり正規軍ではない現在の自衛隊が誕生したのであった。

◆第2節　我が国を取り巻く安全保障環境に鈍感な政府と国民

戦後日本は、天皇主権の国から主権在民の民主主義国家となったが、今なおこの憲法の存在は我が国に複雑な問題を投げかけている。日本人の持って生まれた才能は、勤勉さと物作りに秀でていることである。まさに焼野原から立ち上がった日本人は、ただひたすら一生懸命働くことで豊かになろうとした。海外からエコノミックアニマルとか、トランジスタの行商人などと陰口を叩かれたが、まさに奇跡の経済復興を遂げ、10％を超す経済成長を遂げ、GDPはアメリカに次ぐ世界第2位までになる。これには裏があり、勿論日本人の努力はあるが、何分アメリカの核の傘に入り軍事費がかからない、一方アメリカはソ連との冷戦に多額の国費を使わざるを得なかった結果である。ところが1989年にベルリンの壁が崩壊して冷戦が終わると、世界の情勢が複雑化し、一時はアメリカ一極といわれた時期もあったが、我が国を取り巻く情勢は極めて厳しいものとなっている。即ち2016年当時のオバマアメリカ大統領は、アメリカは世界の警察官ではないと宣言したが、我々の周囲を見渡すと北にはロシアの存在が大きく横たわり、また中国は、東シナ海、南シナ海において理不尽ともいえる自らの権益を主張し、他国を圧迫している。2017年の中国の国防予算は実に1兆元（16兆5千億円）に達していてその中味について具体的な額は発表されていないので、実際はこれを大きく上回る可能性がある。特に我が国において、東シナ海における我が国の領土である尖閣諸島に対する執拗な干渉は目に余るものがある。また、南シナ海における中国の内海化を目指す動きは、極めて重大な問題である。このように東アジアを中心にしての我が国を取り巻く状況に対する政府、国民の反応の鈍感さ加減は如何なものか。一昨年ようやく我が国の集団的自衛権行使を可能とする安全保障関連法が成立したが、全く遅きに失したといえるであろう。もしこれが成立していなければ、今回の北朝鮮の核開発、ミサイルの発射などの挑発にもただ手を拱(こまね)いていたのではないか。

しかしながら、本年就任したトランプ大統領は、一応安倍首相との間で尖閣は日米安保条約の第5条に該当していると明言したが、一番新しい5月26日のG7における会談ではこの問題について明言を避けている。また、NATOにおけるアメリカの立場についても最近では消極的で費用負担の問題さえ提起している。

◆第3節　自国は自国で守る信念で行動すべし

戦後70年、我々は今述べたように戦いに敗れたにもかかわらず軍備に費用をかけることなくエコノミックアニマルとしてふるまい、冷戦の中で漁夫の利を得てきた結果現在の繁栄があることは誰も否定しないであろう。極言するならば日米安保条約があったればこその我が国の今日がある。いい過ぎかもしれないがアメリカを傭兵として活用してきたと極言する考え方すらある。

私が思うにカルタゴは、ローマを甘く見て平和ボケの中で亡びた。現在の日本について私は平和ボケとしか考えられない。それは周囲を見渡せばわかることで、今後同盟国アメリカに全面的に頼っていくことなど、夢にも考えてはいけない。平和憲法死守などと反対する人も多いがカルタゴの故事にならい、早急に憲法を改正して、場合によっては核武装をも含めて自国は自分の手で守るという信念を持って行動すべきであろう。

今英国はＥＵからの離脱で揺れているが、英国が世界に確固たる存在として認められているのは、戦略原子力潜水艦を保持しており、十分な自衛力、報復力を持つ存在であることを忘れてはなるまい。

第15話

高校歴史教科書用語についての提言を批判する

なぜ堂々と聖徳太子としないのか疑問

2018年1月25日

高等学校や大学の教員でつくる「高大連携歴史教育研究会」なる組織があり、この組織は、平成2年に高校、大学の教員達の呼びかけにより作られたもので、現在の暗記を中心とした歴史の授業から、歴史的な思考力の育成や歴史そのものを学ぶ楽しさを実感できるような授業への転換を目指している。

第一章　高大連携歴史教育研究会の提案

◆第1節　現行歴史用語の半減

研究会は、生徒達が議論する活動を重視した次期学習指導要綱を踏まえて、教科書本文に載せ、さらに入試においても知識として問う基礎用語として、日本史1664語と世界史1643語を選択して、新たに「歴史用語精選案」を昨年12月15日に発表した。

精選案においては、現行の約3500語からほぼ半減する程度にまで絞られたのである。

この案を発表した研究会によると、高校の日本史と世界史の主な教科書に収録されている用語は現在3500語から3800語となっており、現状においては、大学の入学試験で教科書に記載されていない用語が出題されるたびに、次の教科書が改訂される時点で追加される形で増加していくため現状の数字は実に1950年代の3倍近くになっている。

◆第2節　教科書編集に強い影響をもつ研究会

今回示された高校歴史用語精選案を発表した研究会には、高校歴史教科書の執筆者や編集協力者20人以上が呼びかけ人として参加しており、関係する高校歴史教科書は発行会社6社が名を連ねており、これは全発行会社7社であるのでほとんど全部が網羅されている。それだけに精選案は教科書の編集に一定以上の強い影響力を持つものといって差し支えない。

第二章　次期学習指導要綱に反する今回の提言

◆第1節　研究会が精選した主な歴史用語とその問題点

産経新聞の記事によると研究会の精選した（新しく追加したもの、あるいは省略したもの）の主な用語は次の通りである。

1．今まで記載されていない用語で新たに追加されたもの

①《厩戸王（聖徳太子）》飛鳥時代当時の中国隋に対し対等な日本の存在を知らしめた、いわば日本という国の柱を作った聖徳太子が不掲載であったとは驚きである。しかも今

回掲載するに当たってもなぜ堂々と聖徳太子としないのか疑問である。

②《足利尊氏》弟の足利直義の記載はある。尊氏と並んでなるほど直義の存在は大きかったが、尊氏がいなければ室町幕府は開かれず室町時代は始まらない。

③《西郷隆盛》明治維新の最大の功労者で無かったとは訳がわからない。今年のＮＨＫの大河ドラマ主人公が西郷なのであわてて迎合したのであろうか。

④《関ケ原の戦い》徳川家康が覇権を確立した天下分け目の戦いが不掲載とは驚きである。

⑤《ニュートン》万有引力の発見者というだけではなく、彼は科学者として同時代におけ る抜きんでた存在であった。片手落ちもはなはだしい。

⑥《南京大虐殺、従軍慰安婦》中学の教科書からも消えていたものが突然復活してきた。いうまでもなく両事項とも真実とは程遠い捏造である。後に詳しく述べるが、高大連携歴史教育研究会のメンバーの大半は自虐史観を信奉する左翼分子である。このような連中からならこのような提案があってもおかしくない。

2. 現行の教科書から掲載が外された用語

①《蘇我馬子》良い悪い、好き嫌いは別にして飛鳥時代を代表する大政治家である。彼を外すと後の大化の改新も語れないし、聖徳太子、推古天皇との関係をどう説明するのか。

②《楠木正成》足利尊氏が復活して孤軍奮闘した北朝の中心がなぜ省かれるのか。

③《上杉謙信、武田信玄》両将を外してどうやって戦国時代を語るのか。川中島の戦いはどうなるのか、上杉、武田ともに天下を取った可能性は十分にあった。

④《坂本龍馬》司馬遼太郎により彼は若干美化されたきらいがないでもないが、彼の存在

がなかったら明治の新時代の到来が、列国の干渉を排して、このように早く訪れることはなかった。龍馬を除外するなど近代史を否定するものである。

⑤《桶狭間の戦い》尾張の弱小大名織田信長が、戦国大名の雄駿河の今川義元を桶狭間（田楽狭間ともいう）に奇襲をかけ、一瞬の隙をついて義元を討ち取った戦国時代における画期的な戦いで、信長はその後天下布武へと進んでいった。このような画期的な戦いを外すなどこれは歴史の否定と考えるが如何であろうか。

⑥《クレオパトラ》彼女の鼻がもう少し低ければ歴史は変わっていたであろうといわれている傾国の美女であるが、ローマが帝国となるきっかけとなったことについては、彼女の存在なしでは考えられない。

⑦《ガリレオ・ガリレイ》コペルニクスの地動説をさらに発展させ、天体観測に望遠鏡を取り入れ、太陽の黒点を発見するなどその他数々の画期的な発見を行なった。

◆第2節　教師の役割は何か

これらの歴史的重要事項が外されたのは、この研究会が教科書の用語を減らすことによって先に述べたように暗記中心の歴史学習から歴史的な思考力の育成を図ることを主眼点とし、また約4000語の学習を生徒に徹底することは難しいと主張している。しかし、私見ではあるが歴史の面白さは多数の登場人物を通じて、その歴史的背景を理解していくことにあると思う。登場人物が多すぎてとても生徒に教えられないなどとは歴史教師として失格である。例えが適切かどうかわからないが［地理］を教えるのに地名が多すぎて授業ができないと言っているのと同じではないか。

◆第3節　研究会は左翼思想に偏向

この研究会メンバーの経歴を調べてみるとその思想的な方向がよくわかる。会長の油井大三郎東京大学名誉教授はアメリカ現代史の専門家らしいが、典型的な岩波書店「世界」派の学者で朝鮮戦争は北朝鮮による侵略戦争ではなく、北朝鮮による解放戦争であったと主張。最近の安倍内閣における集団的自衛権が可能という憲法解釈変更にも反対している。彼の左翼的言動については枚挙にいとまがないが、彼は徹底的な反米左翼主義者である。現在の歴史教科書の基礎用語は多すぎると主張している反面「従軍慰安婦」「南京大虐殺」などの採用を進めており用語の選定基準に恣意性があると問題視されている。油井氏はかつて「未完の占領改革」なる本を書き、この中で、

①天皇制の廃止
②共産主義中国への服従
③アジア諸国への謝罪と賠償という改革が未完なので、これらを進めるべきであると主張した。こうした考えは、そのままコミンテルンの主張である。従来教育界の反日勢力の本尊は日教組といわれてきたが油井氏のような純反日勢力の本尊が大学内に鎮座していて高校教育の反日を扇動、支配していることは明らかである。

このとんでもない左翼の会長のもとに5名の副会長がいる。すなわち
①磯谷正行（愛知県立岡崎高校教頭）

②勝山元照（神戸大学附属中等教育学校副校長）この両者は教育最前線にいる実務家で目立った左翼的言動、行動は調べた範囲ではないが、それだけに油井会長べったりと想像する。

③君島和彦（東京学芸大学名誉教授）この人は有名な家永教科書裁判の原告側証人の主要メンバーで７３１部隊について証言した保守派の秦郁彦氏をこき下ろした過去があり、この件で世間から猛烈な顰蹙を買った。また２００８年には中学生向け新学習要領解説書で竹島が日本固有の領土と書き込まれた部分を削除して韓国の領土として韓国との関係を復活させるべきであるというコラムを朝日新聞に寄稿して、その功かどうかしらないが翌２００９年にソウル大学の歴史教育科の正教授におさまった。誠に売国奴的行為ではないか。その他の副会長は

④小浜正子。１９５３年生まれで日大教授、ジェンダー史の研究家であるが当然思想的には左と思われる。

⑤桃木至朗。１９５５年生まれ、大阪大学教授でベトナム中近世史を中心とする東南アジアおよびアジア史の研究家で大阪大学歴史教育研究会の代表、思想的には詳しくわからないが､岩波書店から何冊かの書籍を発行しているのでおよそ想像がつく。このメンバーから推し量るならば研究会の運営についてのイニシアチブは油井会長が握っていることは明白である。油井氏は、先にも述べたように全くの朝日新聞寄りの左翼思想の人物であり、その下の副会長もいずれも左翼思想の持ち主かそのシンパであることは明白である。

第三章　充実すべき日本の歴史教育

◆第1節　研究会の短絡的な見解

さて、いささか前に戻るが、今回の研究会の主張を改めて述べると、こうである。すなわち大学入試で歴史の細かい用語の出題が成されて高校の授業が暗記中心となっているのは問題であるとして「とにかく用語が多すぎるので先に述べたように用語を３５００語程度から約半分に減らすべきである」という主張である。そうだからといって上杉謙信や武田信玄、坂本龍馬まで除く一方、歴史的に未だ真相が明らかになっていない南京虐殺事件や朝日新聞の捏造から端を発した韓国の慰安婦などを新しく掲載するのは全く矛盾したやり方ではないだろうか。彼らの主張によれば、高校の授業時間数を考えた時、きちんと教えられる用語は２０００語と主張しており、このため歴史の流れを理解するためにはこの程度で十分だという見解である。

◆第2節　研究会見解に対する反論

私は、前記したように歴史の面白さは歴史に登場する数々の人物にあると思っている。幾つか例をあげることが可能であるが、ある意味で歴史とは、ある時代に現れた天才によってその多くがつくられたのではないかと思っている。

世界史を繙くとギリシャアテネの英雄テミストクレス、哲学者ソクラテス、プラトン、アリストテレス、その弟子アレクサンドロス大王、次のローマの時代に入るとローマ勃興期におけるポエニ戦役でのカルタゴの英雄ハンニバル、それに対抗してローマの礎を築いたスキピオ、そしてジュリアス・シーザー、そのあとを継いでローマ帝国を創ったオクタビアヌス、キリスト教を国教としてローマ帝国の全盛期を到来させたコンスタンチヌス大帝、そしてキリスト教に連なる政治、経済、文化に関係する人物など、また中世に入ると西ローマ帝国滅亡後神聖ローマ帝国に君臨したカール大帝、そしてルネッサンス時代に現れた優れた政治家、芸術家などを語らずして歴史を理解できないと思っている。また近世に入るとフランス革命の中からナポレオンが登場し、良い悪いは別にして歴史を彩ったのであった。

このように、その時代に現れた多士済々の人物を学ぶことにより、初めて歴史そのものを理解することができるのではなかろうか。

一方、日本の歴史についても同様である。聖徳太子が従来教科書に記載がないことが全くおかしい。これは聖徳太子が、中国の隋に対し小野妹子を遣わし「日出ずるところの天子日没するところの天子に書を呈する」として日本国の存在を明らかにし、その名を隋国に鳴り響かせた事実を現在の共産中国は快く思っていないことを慮ったからであるが、その太子をわざわざ間違いではないが、中国が聖徳太子の名前を嫌うため中国に遜って厩戸王にしたのではないのかと疑いを持つところである。自虐史観の最たるものである。その他詳細に見ないとわからないが、私から見るならば今回外すといわれている蘇我馬子、楠木正成、上杉謙信、武田信玄、坂本龍馬、桶狭間の戦い、クレオパトラ、ガリレオについて私は反対である。私が思うにこの程度のことを知っているのは日本人としての常識の範囲であり、この程度のことを生徒に教えられないのは教師の不勉強や文科省の無能力さにあると思う。むしろ研究会の考えによれば大学入試のたびに新しい用語が出題され、そのたび翌年からの教科書において用語を増やしてきた結果が現状の３４００語から３８００語で、これを半減して困るのは受験生となる生徒ではなかろうか。今後入試のたびに新しく出るものを加えていくのであろうか。深く調べていないので、何とも言えないがこのような処置は「ゆとり教育」の残骸といえる。

今回訳のわからない、しかし教科書編集に大きな影響力を持つ研究会がどのような意図を持ちこのような考えを発表したかは私には理解できないと同時にこのような考え方により新たな教科書ができるならば我が国の将来に大きな危惧を持つものである。

◆第３節　日本の歴史にもっと深く取り組むべし

最後に今回のテーマと直接大きな関係はないが、今の一部社会人を含めて学生は日本の歴史について余りにも無知である。これはいろいろと理由はある。特に現代史の部分は時間切れになっていることもあるが、教える教師も私から見れば極めて勉強不足ではないかと考えている。例えば日本の歴史を学ぶ時、私は日本神話にってもっと深く取り組むべきと思う。神話なんて事実じゃないよと一蹴する人もいるが、日本神話は古事記、日本書紀に記載されており、戦後これらは天皇家の正当性を裏付けるためのでたらめなもので古事記の作者太安万侶は存在しなかったと言いふらされていた。ところが１９７９年奈良市の茶畑から彼の墓が発見され正確な没年を記した墓誌が出土し、彼の存在は証明された。日本神話について書くと長くなるので、これについては別の機会に譲りたい。

第16話

南シナ海を巡る中国の脅威

中国が「漢の時代から」と発言、失笑買う

2018年2月20日

南シナ海に対する中国の野望は中国の西部から中央アジアを経由して、ヨーロッパにつながるシルクロード経済ベルトを意味する「一帯」と、中国の沿岸部から、東南アジア、スリランカ、アラビア半島の沿岸部、アフリカの東部を結ぶ21世紀海上シルクロードを意味する「一路」の二つのルートに沿って、中国を中心にインフラ開発を進めていくという「一帯一路」構想と並んで自国の領土拡張にある。

第一章　中国の領土拡張の野望

◆第1節　南海諸島と海域の領有権を主張

まず問題となっている南シナ海とはどの地域を指すのかについて触れると、この海域は、東南アジアの赤道から北緯23度付近の中国沿岸まで広がっている熱帯、亜熱帯の海域で、文章で書いてもわかりづらいと思うが、南西部のマレーシアの東方付近には大陸棚が広く発達

しており、水深は200m以下と浅い海である。一方東部の海は深く、フィリピン、特にルソン島の北西の沖にはマニラ海溝（最深部は5,000m）がある。

太平洋は台湾島、フィリピン諸島およびカリマンタン島（ボルネオ）などで区切られており、バシー海峡などの限られた海峡で結ばれているに過ぎない。海域内における最大の島は、海南島であるが、地図を見てわかるようにサンゴ礁を含めて中小の島嶼が多い。

また中国が「南海諸島」と呼び領有権をしきりに主張している南沙諸島（スプラトリー諸島）、中沙諸島（スカボロー礁他）、西沙諸島（パラセル諸島）、東沙諸島（プラタス諸島）があり、この他にナトゥナ諸島などの島々がある。

これらの島々は約200以上にも及んでいるが、大部分は南沙諸島にある。

この島々の存在する海域は実に810㎢から900㎢にもおよび、海南島を除き最大の島が、太平島（イトゥアバ）であるが、長さが1・3km、高さ3・8mにすぎないのである。実は戦前、戦時期の1939年（昭和14年）に日本はこの島を占拠していた。現在は台湾が実効支配している。

◆第2節　勝手に「九段線」なる境界線を設定

もう一つ特徴のある島がフィリピンのパラワン島で、この島はパラワン海溝を挟んでリード堆と呼ばれる長さ約100kmの海山があり、面積は8・87㎢と、世界最大の環礁である。現状は水深20mと海中にあるが、7000年前までは島であった。この島も戦時中日本が占領し、長島と名付け保有していた。この場所も埋め立ては十分可能で、次に中国が触手をの

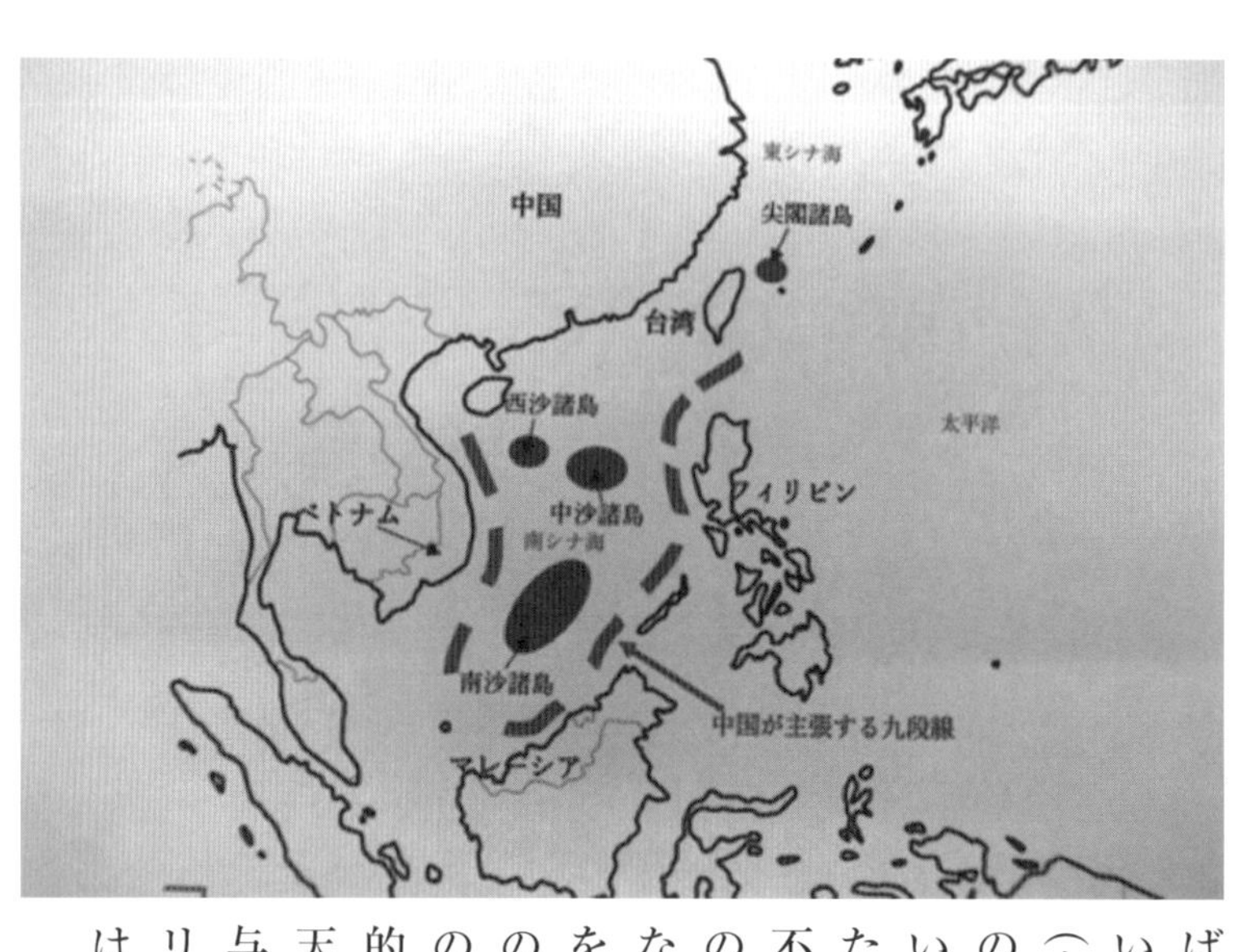

ばしてくる危険がある。しかし、日本の敗戦に伴い日本はこの領有権を放棄している。その後中国（中華民国より中華人民共和国）は東南アジア諸国の本土領海線のギリギリまでを自国が管轄するという「九段線」なる境界線を勝手に設けたのであった。しかし、この境界線の意味がどこにあるのか不明なところがある。というのは中国政府の、この「九段線」の解釈が島嶼の帰属を指すのか、単なる歴史的な権利の範囲、あるいは歴史的な水域を表しているのか不明で、中国政府は、公式にその意味を発表していないからである。しかし、島々の面積は最大でも約０・５㎢しかないが、当然排他的経済水域（ＥＥＺ）や大陸棚の漁業資源や石油、天然ガス資源を当て込み、さらには安全保障に寄与することも考慮して中国、台湾、ベトナム、フィリピン、マレーシア、ブルネイが、島の全部または一部の主権を主張しているのが現状である。

◆第3節　次々と実効支配を進める中国

現在実効支配という観点からブルネイを除く5か国が入り乱れて複数の岩礁や砂州を実行支配しており、その多くには軍隊などが常駐している。2017年現在ではベトナムが22か所、フィリピンが8か所、中国が7か所、マレーシアが5か所、台湾が1か所実効支配している。しかし、この中で目立つのが九段線なる線引きを行ったうえ、大規模な埋め立て、浚渫を行い、軍事施設を大規模につくり、またサンゴ礁などの自然環境を取り返しのつかない形で破壊している中国の進め方については国際的に非難が集中している。また、中国海南島の南にある西沙諸島（パラセル諸島）は、元々ベトナムが実効支配していたが、1970年代に中国はベトナムからこれを奪い、南シナ海支配の戦略拠点として、ここに2,600mという本格的な滑走路を有する空港を完成させた。その一方、中国はベトナムの支配する南沙諸島（スプラトリー諸島）にも侵攻し、六つの岩礁、珊瑚礁を手中に収めている。さらに中国はフィリピンとも事をかまえ、同国が実効支配していたミスチーフ礁を占領し、ここに軍事施設を建設した。2007年に入ると中国の活動はさらに活発化し、中国は中沙諸島だけではなく南沙、西沙の両諸島を含む領域に海南省に属する新たな行政区である「三沙市」を設け、中国の意思を明確化した。また2010年にはアメリカの国務副長官スタインバーク氏が訪中した際、中国政府は南シナ海を「自国の主権および領土保全に関連した「核心的利害」地域と見なしているとの立場を公式に表明している。

第二章　アセアン諸国の動向

◆第1節　関係諸国は平和的解決を模索

このように、南シナ海の島嶼を巡っては各国の利害がぶつかり合い、関係諸国（アセアン）もなんとか平和的に解決すべく、法的な拘束力のある「南シナ海行動規範」をつくるべく努力を重ねてきたが、中国の一方的な行動により未だ成果が上がっていないのである。例をあげると２０１４年６月にシンガポールで開催されたアジア安全保障会議において中国側の代表である王人民解放軍副参謀総長は、南シナ海の島々は２０００年以上前の漢の時代から中国が発見して管理してきたと発言し、会場の失笑を買った。

◆第2節　「九段線」に対する仲裁裁判所の判断

さて、南シナ海のほぼ全域に主権や権益が及ぶとして九段線なるものを設けてゴリ押しの主張を行う中国に対してフィリピンが、２０１３年に国連海洋法条約違反などを確認するように申し立てた仲裁裁判に対して、オランダのバーグの仲裁裁判所は、２０１６年7月12日、中国の主張する「九段線」については「資源について中国が主張する歴史的権利には法的根拠はない」とする判決を下した。いうならば南シナ海の人工島で実行支配を進める中国の行動について国際法上「ＮＯ」が突き付けられたわけで、まさに中国の「全面敗訴」である。

判決についてもう少し詳しく説明すると、中国は「九段線」の内側の海域で管轄権を有していると主張し、これは１９９４年に発効した「国際海洋条約」以前からの「歴史的権利」であるとしたが、中国と南シナ海の岩礁について領有権を争ってきたフィリピンが、上述の２０１３年に「中国の主張は国際海洋条約に違反しており無効」として仲裁裁判を申し立てていたことに対する判決で、中国の主張する「九段線」の「歴史的権利」について「南シナ海で中国が独占的な管理を行ってきたという証拠ではない」と断じて中国の主張を退けたのである。

中国は一方的な「九段線」の主張の背景に前述のように南沙諸島（スプラトリー諸島）の七つの岩礁を埋め立て人工島をつくり、そこに滑走路などの施設を設け、軍事拠点化を進めているとして批判されてきた。

判決により造成を続けることは「国連海洋法条約違反」とされるが、中国は判決は無効として、どこ吹く風で軍事拠点化を進めている。判決では七つの岩礁は、排他的経済水域「ＥＥＺ」を設定できる「島」ではなく「岩」か「低潮高地」と認定した。これにより周辺海域での資源開発において中国はイニシアティブを取れなくなった。仲裁判決には上訴が認められず、法的拘束力はあるが判決の強制執行手段は残念ながらない。このため現状では中国の動きを阻止できないが、判決を無視することで国際的な批判にさらされることは必定で、今後の中国の出方が注目される。また、フィリピンがこの判決を盾に強行突破姿勢を貫くと、偶発的な衝突につながりかねず、今後が注目される。

◆第3節　閑話（鄭和の大遠征）

余談ではあるが、中国が南シナ海はすでに2000年前、漢の時代から中国の支配下にあったなどと国際会議の場で主張して失笑を買ったことは前にも触れたが、私は、明の永楽帝の時代に皇帝の命令により1405年から1433年の間、七次に亘って南シナ海、インド洋、スリランカ、ペルシャ湾、アフリカまで大航海を行い、明への朝貢を積極的なさしめるよう大活躍した鄭和の大遠征にその起源を求める方が、よっぽど説得力があると思うのであるがどうであろうか。鄭和の遠征のスケールの大きさに比較すると、現在の中国海軍の跋扈は余りにもスケールが小さすぎると思うからである。

◆第4節　完全に主導権を握った中国と日本への影響

さて、中国政府が南シナ海で密かにさらなる建設や埋め立てを進めていることが、最近の米国の衛星写真から判明している。アメリカの外交筋や軍事関係者は、この海域で中国はより強硬に領有権を主張すると分析している。ロイター通信が確認した衛星写真によると、中国はベトナムと領有権を争う西沙（パラセル）諸島の北島と趙述（ツリー）島で施設の開発を進めていることが明らかになっている。最近これらの領有権問題を巡る緊張は、ニュースになっていないが、実際には中国は依然として緊張を醸成しつつあり、具体的には中国は、今後数カ月以内に南沙（スプラトリー）諸島の飛行場に戦闘機を初配備するのではないかと予想する専門家がいる一方、この地域を担当する軍事関係者からは、中国はすでに新しく建設した施設を利用して海軍や沿岸警備隊の派遣範囲を東南アジアの広範な海域に拡大しているという指摘もある。インド洋からマラッカ海峡を経て南シナ海から我が国に至る通商路は我々の死命を左右する重要な経路である。

南シナ海における中国の領有権の主張と軍事拠点化については、東南アジア諸国連合（アセアン）に於いても２０１２年頃からたびたび論じられるようになったが、アセアン10か国の内でも中国の影響を強く受けているラオス、カンボジアなどもあり、この中国の傍若無人な態度にアセアン首脳会議においては２０１４年5月には「深刻な懸念」、11月には「引き続き懸念」、２０１５年4月には「深刻な懸念共有」、9月には「引き続き深刻な懸念」、11月「懸念共有」、という共同声明を発表していたが、２０１６年9月には「引き続き深刻な懸念」２０１７年4月には「一部首脳の懸念に留意」と後退し、２０１７年8月に中国アセアン南シナ海「行動規範」の枠組みが承認されると11月の会議においては「懸念」の文言が消えてしまった。この内アセアンの南シナ海における紛争防止の行動規範の枠組みについては２０１７年8月、中国が議論を主導して、法的拘束力について明記せず、中国による軍事拠点化を抑える効果を見込みにくい内容としたものである。中国は、南シナ海問題は当事者間で合意したとして、南シナ海問題に終止符を打つことを狙ったもので、完全に中国に主導権を奪われたといってよい。中国はこの合意を盾に取り、当事国以外の米国、日本の干渉を排除しようとしている。２０１７年の会議の議長国はフィリピンであり、同国は２０１６年7月に中国の南シナ海領有という主張を退けた国際司法裁判所に対する提訴国である。しかしその後、登場したドゥテルテ大統領は中国側に変身し、今回も「南シナ海問題をアセアン会合で大きな問題としない」と、一歩引いたためアセアン全体が中国側の主張に偏ってしまったきらいがある。

第三章　アメリカの対応

◆第１節　オバマ政権の弱腰と不手際

ここまで南シナ海における中国の作戦が進んでしまったのは、アメリカのオバマ大統領の弱腰と不手際によると考えられる。アメリカの人工衛星は早くから中国の人工島、飛行場の建設などを察知していたことは間違いない。それにもかかわらず、これに対する作戦はお粗末すぎたのではないか。元々アメリカには海洋における国際慣習法上の「航行自由原則」、これは軍艦を含んだいかなる船舶といえども、他国の領海内では慣習上認められた制限は受けるものの、その他のあらゆる公海を自由に航行することができるというものである。

これはアメリカの国益を維持するための大原則で仮想敵国だけではなく、友好国や同盟国であっても、軍事デモンストレーションを実施して「航行自由の原則」を尊重せよというメッセージを与え続けている。（ＦＯＮＯＰと称する）２０１４年に中国が人工島を築きつつあった際、アメリカ政府内ではＦＯＮＯＰを実施して中国を牽制すべきであるとの主張があったようである。

しかし、これらの島々はアメリカ以外の国々の紛争地域であったためここに直接介入はできないので、アメリカ海軍は、この人工島付近に繰り返し軍艦を派遣してＦＯＮＯＰを実施すべきであるという声が高かった。しかし、中国に融和的であったオバマ政権にとって、南シナ海でＦＯＮＯＰを実施することは論外であった。

人工島に懸念を感じたフィリピン政府はアメリカに警鐘を鳴らし続けたが、オバマ政府は無視し、１年経過すると７つの環礁（ミスチーフ他）が人工島化されつつある事態となってしまった。やがて２０１５年秋にはミスチーフ礁他３つの人工島に大型の滑走路が出現したのであった。この段階で初めてオバマ政権は事態の重大さに気づき、２０１５年10月、中国の実効支配しているミスチーフ礁の12海里以内にイージス駆逐艦を派遣したのであった。その後も２０１６年１月、５月、10月にＦＯＮＯＰが実施されたにすぎない。アメリカの南シナ海における対抗はすでに手遅れであるとまで囁かれている。

◆第２節　トランプ政権の巻き返しと日本の役割

対中強硬派のトランプ政権においてＦＯＮＯＰが期待されたが北朝鮮問題があり、今の所２０１７年５月、続いて７月にイージス艦が派遣され、また７月には爆撃機２機が南シナ海上空を飛行した。このように現状では南シナ海の覇権は完全に中国に握られているといえる。要するに島々の埋め立て飛行場の建設により、アメリカの空母打撃群の近接を防御しようとする中国の作戦は成功しつつある。これに対してアメリカがどう巻き返すか、また通商路が危険にさらされる日本の役割がどうなるのかよく考えてみる必要がある。

なお、トランプ大統領は２０１８年１月20日スカボロー礁の12海里以内にイージス駆逐艦１隻を派遣した。

第17話

国家にとって何が一番大切なのか

もっと国際問題を重要視し論じよ

２０１８年４月27日

最近の国会の姿について私は大変残念に思っている。なぜなら国会は国権の最高機関であり、国民にとって現在一番大切なことを論議する場にもかかわらず、昨年来からの森友学園の問題に始まり同問題に関する財務省の公文書改ざん、値引きの正当性、さらに学校法人「加計学園」の獣医学部新設計画に関する「首相案件」の疑惑、そして存在を否定していたイラク派遣部隊の日報が発見されたことなど、これらを材料に野党は重要法案の審議を放り出して、予算委員会はただただ安倍首相の責任追及にうつつを抜かしている。一方、朝日新聞をはじめとするマスコミはこれを材料に倒閣運動の片棒をかついでいるのはどう見ても異常としか思えない。私が思うにこれらの行動は全く民主主義のはき違えとしか思えない。

第一章　毎日新聞コラム『風知草』の紹介

◆第1節　正念場の日本外交

さて、毎日新聞に月数回、山田孝男氏の『風知草』というコラムがあって、私は毎号楽しみにしている。この欄は左傾の朝日新聞に追随する毎日新聞の論調にしては可成りまともなものである。その4月2日の号で概略次のように述べているので紹介の上、論評を加えたい。

いわく「麻生財務大臣がＴＰＰの問題より森友の方が重大だと考える日本の新聞のレベルを批判しているが、この考えは国際関係が激しく揺れ動く中、その中にあって特異な意見だとは思わない。ただその言い方が軽口なら不信感を広げ、世論の分裂が対外交渉力をそぐ。そこに気がついていない鈍感さに危惧の念を持つ。森友疑惑が再燃した今日、世界の状勢を見るならば、まさに国際鳴動の春である。日本中が注目した国会喚問の陰で、中朝が電撃的に首脳会談に進み、また韓国と北朝鮮の会談も近々行われる。さらにアメリカと北朝鮮との直接会談も実現の運びとなった。ご承知のように韓国は中朝に寄り、米国の孤立化と不安定化は進む。我が国を取り巻く諸国はロシアを含めて核保有国ばかりである。北朝鮮は表向き「非核化」を言うが、実は核を手離さない二枚舌であることは周知の通りである。東アジアには「冷戦後」の常識を超える歴史の大波が押し寄せていることは間違いない。その意味で今は日本外交にとって正念場であり森友どころではないという声が出ても決しておかしくない。

◆第2節　国内世論を巻き込んだ外交が重要

しかし、その反面外交は国内世論と懸け離れては成り立つものではない。外交論の権威モーゲンソーは、「純粋な国内問題はもはや存在していない」とすでに半世紀前に断じている。まして今日の情報化、グローバル化時代においては、同じくモーゲンソーの「他国にわかりやすい、ある国の国内の失敗はその国の力を減少させる」が、現在の日本に当てはまる。独裁国家なら暴力や脅迫により政権批判をつぶすが、民主主義の日本政府は対話と説得により批判に向き合わなければならない。

◆第3節　森友疑惑は「官僚のゴマスリと国会軽視」

森友疑惑は昨年来、国有地の賃貸・売却に関し、不正、情実があったかが問われ続けたが、なお未解明なものがあるものの、国会論戦や報道を通じてどうやら政治家や役人にワイロが渡ったわけでないようだという心証が形成された。その結果が昨年秋の総選挙で自民党が大勝した背景の一端だと考えられる。しかし、疑惑が再燃した今度の論点は公文書の改ざんである。議論を通じて見えてきたものは、官邸主導体制に巣くう官僚のゴマスリと国会軽視であった。国会は国民の代表の集まりである。首相は国会が決める。その首相が内閣を組織する。その内閣を支える官僚が国会を欺いた。憲法に忠実であるべき官僚がなぜ国民主権を軽んじたのか？そこが先般行われた国会証人喚問の焦点だった。財務省理財局長だった証人は訴追の恐れを盾に核心の証言を避けたが、状況から推測しえるシナリオは、

①証人が改ざんを指示
②部下が証人の意図を忖度して改ざんし、証人が追認したとする見方である。
「首相官邸」の要請で改ざんした可能性もゼロではないが、そこは証人が偽証罪に問われるリスクを承知して否定している。検察が捜査中であるが改ざんによる具体的な被害の立証は難しく、訴追は微妙と囁かれている。それでも捜査資料などにより真相は見えてくるであろう。野党は首相夫人の証人喚問を求め、与党は拒否して攻防はゲーム化し、国会論戦は不毛極まる。首相の側から首相夫人の説明機会を工夫することを改めて提案する。たかが森友ではない。

第二章 『風知草』に対する論評

◆第1節 内閣人事局が誕生した背景

以上が『風知草』の内容であるが、筆者の結論は先に書いたように「たかが森友ではない」である。そうであろうか?たしかに次から次へと出てくる、無いといわれていた公文書の出現や、官僚の隠蔽や忖度は目に余るものであるが、なぜ官僚がこのような状態に陥ったのかに言及すると、これは2014年に誕生した内閣人事局に源がある。従来各省の事務次官を頂点とする一般職国家公務員(いわゆる事務方)の人事については事務方の独立性と非政治性に配慮して政治家が介入することは控えられてきた。しかし各省の人事が全て事務方に牛耳られては政治家は官僚の言いなりになってしまい、また縦割り行政の弊害も大きくなってしまうので、各省の幹部人事については、内閣総理大臣を中心とする内閣が一括して行い、政治主導による行政運営を目指す構想がはかられ、

①幹部職員人事の一元管理

②全政府的観点に立った国家公務員人事の推進

③行政機関の機構や定員管理などを目的に内閣人事局が生まれたのであった。

◆第2節　内閣人事局の弊害

人事局は幹部600名の人事を決める。しかしながら一つの考え方としては妥当なものであったかもしれないが、このように内閣の人事に及ぼす影響が強くなると、どうしても官僚の目は必要以上に内閣に向くことになってしまう。このような弊害の発生について予想されていたところであるが、今回の文書の改ざん、忖度はこれが如実に現れたものといえる。たしかにこの財務省の改ざんに加えて存在しないはずのイラク派遣陸上自衛隊日報の出現、厚生労働省の「是正勧告」発言など官僚組織のゆるみは目に余るものである。

◆第3節　野党とマスコミの偏向した世論形成を危惧

したがってこれらの真相究明には十分に力をつくすべきことはいうまでもない。森友の問題については大体次のように論じられている。「財務省の中で森友学園に対する国有地払い下げ問題に関する決裁文書が書き換えられた。財務官僚といえばエリート中のエリートであり、そのような集団に属する人達が事を運ぶには慎重にも慎重を期するはずである。とすれ

ばここに強力な政治的な圧力がかかったのではないか。それだけの権力を持つものは官邸か財務大臣しかいない。それにもかかわらず前理財局長の佐川宣寿一人に責任を負わせ幕引きをはかろうとしている」といったところが野党の主張であり、こういった筋書きによりテレビのワイドショーや報道番組を含めたメディアの大半が動いている。一般大衆は頭からこれを信じ込んで、世論はその方向に誘導されつつある。しかし現在確かなことは、財務省の内部文書に改ざんを加えたことだけが明白な事実であり、佐川前理財局長ははっきりと官邸の関与を否定しており、現在検察がこの森友問題を捜査している。新聞の情報によると何も出てきていない模様である。しかし官邸が森友学園に関与したり文書の書き換えを指示したりという有力な証拠が出るならば、当然徹底的追及がなされるべきであろう。現時点でははっきりとした証拠が明らかになっていないにもかかわらず、野党は財務省も官邸も「真相」をひた隠しにしていると主張しており、多くのメディアが同調して間違ったとはいわないが、偏向された世論が形成されているのではないかと危惧するものである。しかしここが怖いところで、連日テレビに映し出される予算委員会の審議や、新聞その他マスコミにより安倍内閣は間違っているというイメージが形成され、一気に内閣の支持率低下という現実が突きつけられている。

第三章　国会は国家の諸問題を大いに議論すべし

◆第1節　我々を取り巻く状況はまさに国難

我々が残念に思うのは、そうだからといって内外に存在する我が国の諸問題についてほったらかしにして国会の予算委員会において連日この問題にうつつをぬかすのはいい加減にしてほしい。我々を取り巻く状況はまさに国難といってよいと思う。中国は北朝鮮とよりを戻したが、先にもふれたように東アジアの我々に関係の深い中国、北朝鮮、ロシアはいずれも核保有国である。それに対する備えは余りにもお粗末なのではないか。核攻撃に対する我が国の備えは全てアメリカ軍頼みであり、仮に核攻撃があった場合、どのように対処するのか、例えば大都市を中心にしての防護シェルターや避難訓練など全くゼロといってよい。またシリアで見られた北朝鮮がかんでいるといわれる化学兵器対策などが論じられたことは皆無であろう。トランプ大統領は中国をはじめとする諸国の鉄、アルミに対し輸入制限に出た。さらに中国に対しては知的財産保護のための関税賦課を強化することを実行しようとしている。アメリカは本来11月の議会選挙を意識して、これの関税強化策を打ち出しているのであるがすでにTPPを離脱している。米国は日本との間の二国間交渉を内々にサウンドしてきており、このように我が国が直面する現実は誠に厳しいものがある。

◆第2節　国難に対案を出せない野党

安倍首相のとってきたアベノミクスを中心とする諸施策についてはいろいろと問題もある。しかし安倍首相はこれらの難問にまがりなりにも手を打ってきており、その論点に対して野党は全く対案を打ち出していない点にこそ、大きな問題がある。その結果が安倍一強などといわれている所以であるが、これこそ野党にとっては誠に恥ずかしいことなのではないか。森友・加計問題に加えて先にも少しふれたが陸上自衛隊のイラク派遣部隊の日報が見つかった問題を受け、さらに財務次官のセクハラ疑惑が持ち上がり国会はさらに停滞して、通常国における重要法案に影響がおよびつつある。働き方などの改革を通じて生産性を高める重要な法案の審議が進んでいない。野党の追及する「自衛隊日報」問題など私にいわせれば軍事機密に属するもので公開に値するものではない。野党は自衛隊派遣そのものが誤りであったと蒸し返したいのであろうが、小泉内閣によるイラク派遣が国際社会における我が国の信用回復にどれほど寄与したかよく考えるべきであろう。現状の審議の停滞から考えて政府の意図する「働き方改革法案」については6月20日の会期終了までの成立はあやぶまれるところである。その他の重要法案として日本が主導した環太平洋経済連携協定（ＴＰＰ）参加11か国で署名した、新協定「ＴＰＰ11」の国内手続きが遅れてしまう可能性があり、もしそうなれば折角の日本外交の成果を台無しにしてしまう。

◆第3節　野党に望む

たしかに不祥事の真相究明に対する取り組みは与野党の責務に違いない。そうだからといって国会本来の任務である重要法案の審議を横においての昨今の状況は、国会議員の責務の放棄と考える。特に野党はもう少し節度を持って全てに対処すべきであろう。野党には憲法問題一つを取っても対案はおろか、確固とした考えすらないと思うのは私だけではあるまい。

■おわりに

私は、腹の虫がおさまらないのは他にも無責任発言を繰り返し、安倍首相を憎々しげに糾弾する野党議員はいるが、中でも辻元清美立憲民主党国会対策委員長の態度は許せない。忘れっぽい大衆はもう覚えていないと思うが、彼女は2003年に秘書給与詐欺容疑で逮捕され2004年に懲役2年執行猶予5年の実刑判決を受けたれっきとした前科を持っている。彼女にしてみれば選挙で禊ぎを受けたといいたいのであろうが、過去において公金の詐欺を行った人物であることを我々は再確認しておくべきであろう。

第18話

放送法の改正に物申す
法的規範か倫理規定かを明確に！

2018年5月29日

最近あまり見かけなくなったが、4月16日に政府の規制改革推進会議（議長・大田弘子政策研究大学院大学教授）は、放送制度のあり方について、初めて具体的な検討課題を示した。

実は、今年に入ってから番組の「政治的公平」などを定めた放送法第4条の撤廃が水面下で検討されてきたが、具体的に明示されることはなかった。

しかし、このところ政権では不祥事が続出して逆風に晒される中、表立っての議論を差し控えざるを得なかったのであるが、推進会議は6月3日を目途に最終答申を取りまとめる予定である。被害を被ると考えている民間放送では、警戒の念を強めているところである。

第一章　放送法の見直し

◆第1節　放送法第4条の撤廃

そもそも3月の末頃から安倍首相の肝入りで放送法の規制改革の議論が本格化したのであったが、その前から1月の首相の施政方針演説や、政府の「未来投資会議」で立て続けに政府は、放送法の大胆な見直しを宣言していた。しかし、この時点ではまだ目指す方向が具体的に現れてはいなかった。しかし、3月に入って首相が日本テレビの社長と会見した席上、首相は放送法第4条の撤廃を示唆した模様である。

◆第2節　放送法第4条の内容

ここで、放送法第4条とは何かを振り返っておきたい。一般にはなじみが薄いが、そもそも放送法第4条は、次の通りとなっている。すなわち放送事業者は、国内放送および国外放送（以下「国内放送など」という）の放送番組の編集に当たっては、次の各号に定めるところによらなければならないとなっている。

(1)　公安および善良な風俗を害しないこと。
(2)　政治的に公平であること。
(3)　報道は事実を曲げないですること。
(4)　意見が対立している問題についてはできるだけ多くの角度から論点を明らかにすること。

◆第3節　放送法第4条を巡る争い

実はこの法律が法的規範（法律上の義務を生じるルール）なのか、そうではなく、倫理規定（単なる道徳上の努力義務しか生じないルール）なのかについては長年にわたって争いになっている。従来から為政者の側は、前者だと言っており、放送や憲法学会の通説は後者だと主張している。なぜ法的規範か倫理規定かが問題視されるのかといえば総理大臣が、放送局に電波法の電波停止や放送法の業務停止を命じることができるのは放送会社が「法律違反」した場合であるとの規定があり、もし放送法第4条の規定が倫理規定なら放送会社に法的な義務を負わせるものではないので、法的な義務違反は生じない。しかしながらこの放送法第4条は政府の側からは法的義務を負うものとして、政治が放送に介入する口実になってきたのは事実である。

第二章　放送制度改革の概要

◆第1節　政府の目論見

したがって、第4条を撤廃して「政治的に公平であること」がなくなれば、放送業界においては「政治からの介入」から解放されるから、この改正を放送業界は受け入れると考えたふしがある。そのようなことを踏まえて、安倍首相をはじめとする政府が乗り出したのが、放送制度改革である。今年2月「国民の共有財産」である電波を有効利用するため、「周波数の割り当て方法や、放送事業のあり方の大胆な見直しが必要」と強調し、その後に改革に向けた協議が本格化したのであった。これは端的にいうならば放送と通信の垣根を取りはずすことである。

◆第2節　制度改革への反応

これに対して民放各社は、「民放事業者が不要だと言っているに等しく容認できない。強く反対したい」などと反発を強めていた。放送の所管者である野田総務相も「放送法第4条がなくなれば、公序良俗を害するような番組や、事実に基づかない報道が増加する可能性がある」と述べており、政府内にも慎重な声がある。前述の規制改革推進委員会は、改革案を取りまとめ、6月にも安倍首相に答申することになっている。早ければ今秋の臨時国会に法案を提出して、2020年以降に施行する方針と聞いている。

第三章　改革案の問題点

◆第1節　損なわれる放送の信頼性

一応建前はこのような道筋になっているが、実際に政府が検討する改革案の内容は、まず放送番組の「政治的公平」などを定める放送法を撤廃してテレビやラジオなどの放送事業と、インターネットなどの通信事業で異なっている規制を一本化する。これは放送分野への新規参入を促進することを目的とするものであるが、政治的に偏った番組が放送されることが懸念される。放送法第４条は先に述べたように放送業者に番組作りの原則として、政治的公平・公序良俗・正確な報道・多角的な論点の提示、の４項目を求めているが、改革案はこれに加えて娯楽や教養など番組内容のバランスを保つ「番組調和原則」、放送会社への外資の出資比率を制限する「外資規制」などの規制を撤廃するとうたっている。この結果、放送事業に通信事業者と同様に番組内容に関する基準が無くなることになる。さらに報道番組の制作などのソフト事業と、放送設備の管理などのハード事業の分離を徹底する。一方ＮＨＫについては規制を維持して、公共報道の役割をはたすことを重視して、民放とはっきりと区別する。また、ＮＨＫには番組のネット常時同時配信を認める。しかし、通信（インターネット）と放送の融合は世界的な流れかもしれないが、規制のレベルを自由にするということが、放送の信頼性を損ねると思うのであるがどうであろうか。私が考えるに、首相の考えは現在の放送はＮＨＫを含めて余りにも偏向しており、それに制限を加える意図があると思われる。また、現在の放送法４条は、誰が何といおうと倫理規定ではなく法的規範である。したがって放送法４条に定められている規定は、放送業者は必ず守るべきものと考える。

◆第2節　ないがしろにされる放送の公共性

それでは規制推進会議がどのような議論をしているかであるが、要するにインターネット動画配信サービスが急速に普及して、若者を中心に急速に「テレビ離れ」が進む中、通信と放送を巡る環境が激変していることに鑑み、首相周辺が考えている原案では、ネットと放送の規制を一本化して新規参入を促すことが狙いとされている。首相の本音は、民放を対象に

4条以外の放送特有の法規制を全廃して前述のようにネットと放送の規制を一本化することにあり、もしその通りになるならば、「NHKを除く放送は基本的に不要になる」としていたため、民放側は強く反発しているのである。このような改革案については与党を含めて種々の反対論がある。民間放送は、当然「産業振興の一面だけで放送のあり方を議論して国民の知る権利に応える公共的な役割をないがしろにするこのような政策は、国民、視聴者の利益にならない」と猛反対している。「仮に4条が撤廃されネット業者が参入した場合、極端な番組やフェイク（偽）ニュースの横行のおそれがある」「一定の倫理規範がある放送では表に出なかったが、公共性のない言説が、巷にあふれる危険性がある」などの主張が述べられている。仮に4条が、放送局が自主的に守るべき倫理規定だったとしても（私はそうは思わないが）「番組の一定の質を保つ土台」になってきたと、民放幹部は述べている。一方放送と通信が融合する時代に合わせた規制改革は、放送業界にビジネスチャンスをもたらすとの考えもある。しかし、公共性が問われる放送、通信やネットと同様のビジネス基盤で捉えることには疑問の声が強い。現実問題として米国では、かつて放送局に対して、賛否両論がある問題の報道については双方を公平に扱うことを求めたフェアネスドクトリン（公平原則）が存在したが、1987年に撤廃されたのである。その結果、その後いろいろな弊害が生じており、最近ではトランプ大統領の応援団的放送局まで現れる始末で、反省の機運があることも事実である。

◆第3節　危惧される公平性や安全保障上の問題

さて、放送制度の改革をめぐっては先にもふれたが政府内では放送法4条の撤廃のほか、放送局への外資出資規制や、番組を制作するソフト部門と放送設備を管理するハード部門の分離を徹底する案が検討されていた。これについても「公平性を欠いたり、公序良俗を害する番組の増加」を懸念する識者の声が大きい。これらのことをいいかえると「公平性」を有している現在の放送局は不要と官邸は思っているのではないか。すなわち社会的責任に基づいた報道が喪失することにつながる。首相には政治が放送局に干渉力を強めてメディアのコントロールをターゲットにしているといわれても仕方があるまい。このほか電波の利用権を競争入札にかける「電波オークション」の導入も検討されている模様である。政権に「恭順」の姿勢を示す事業者にのみ電波を差し上げましょうとの考えが見え見えではないか。これは一見自由競争のように見えるが、オークションへの参加者は政府が恣意的に決められるから、政府の意に沿う業者のみが選ばれるからである。放送設備を管理するハード事業者と番組を制作するソフト事業者の分離の徹底も、多大な経費がかかる放送設備を持たないネット事業者などが、制作に参入しやすくするのが目的である。しかし現状のテレビ局のようなハードとソフトの一体化した事業者でないと緊急時の連携に混乱が生じ「速報ができずに被害者の避難や生命に危険が及ぶ」との強い反対論がある。また、前に戻るが放送局への外資規制の廃止が盛り込まれているのは大問題である。放送法の規定では海外資本による国内の報道機関の支配を防ぐため、外資の出資比率を20％未満に制限しているが、当然政府、自民党内からも、もし規制を撤廃すれば中国企業などからの出資が増え、安全保障上の問題に発展するとの危惧の念が出ている。首相の考える改革案はＮＨＫだけに現行制度を維持し、番組のネット常時同時配信も認める考えであり、民放からは「国会での予算承認など政権が影響力を行使しやすいＮＨＫは保護する一方、民放を事実上解体する案である」と非難が高まっている。

◆第4節　民放のさらなる弱体化を招く危険

もう一つ政権の改革の背景にあるのは、世界規模で進む通信と放送の融合という大きな流れと、日本のコンテンツ産業に対する危機感であると思う。お聞きおよびと思うが、アメリカにおいてはネットフリックスなどの動画がどんどん成長する中で、日本の放送局での伸びはわずかである。それだけに今後我が国の放送コンテンツ産業は成長余地が大きく、日本の強みとして海外にも売り込みたいとの政府の意気込みが感じられる。そのためハードとコンテンツ制作のソフトの分離を強化して、コンテンツの競争原理を導入して、その強化を図ることが政府の意図なのであろう。さて、現在のラジオ、テレビについて読者はどう考えているか。なるほどＮＨＫには左傾化した番組も多く最近は少しましになったが、朝日新聞をしのぐ問題番組がある。しかし、そうはいっても番組の根幹は、問題はあるがしっかりとしている。それに引き替え民放はどうであろうか。私事ながら民放で見る番組は私にとって野球放送などスポーツ番組と、一部の放送以外見るべきものはない。毎日放送されるバラエティー番組の程度の低さには辟易するところである。そんなところに放送法第4条が撤廃されるとどうなるか、「通信と放送の融合」のキャッチフレーズのもとに、民放は驚くような陳腐、醜悪なものとなるであろう。放送法第3条は放送内容に対する外部からの介入を禁じているのであるが、放送法の規制レベルに合わせた時どうなるか、ネットに合わせて規制を比較的自由にした場合、権力が放送内容に対して介入してくる危険があるのではないか。

■おわりに

今回安倍首相は放送法の改正にいささか前のめりになり過ぎていると思うのは私だけではあるまい。複数の識者の間では今回の改革方針は、憲法改正をテレビに邪魔されないためで、安倍首相の牽制ではないかとの観測も出ている。アメリカにおける失敗例もあるのであるから、この問題についてはもう少し慎重に進めてほしいと強く望むものである。6月に出てくる規制改革推進会議がどのような案を出してくるかが大いに注目されるところである。

第19話

新エネルギー基本計画の最大問題点―プルトニウムの処理―

使用済み核燃料の処理に道を開け

2018年7月30日

先般7月3日に新しいエネルギー基本計画が閣議決定された。

これは、我々消費者や企業にとって不可欠なエネルギーの将来像を示すものであって、政策の基本となるものである。この基本計画では、原子力を引き続き活用していくことを方針として示す一方、今まで位置付けが曖昧であった再生可能エネルギーを「主力電源」として初めて認め、その導入の促進を掲げている。エネルギーを取り巻く状勢は、2011年の東京電力福島第一原子力発電所の大事故以来、原子力政策についての国民の批判は大変厳しくなっている。今回の計画ではそういう世論を踏まえた上でなお、原発の再稼働を推進する図式をあらためて明確にしている。

第一章　新エネルギー基本計画の概要

◆第1節　主力電源の構成内容

今回示された電源構成は

	2010年（震災前）	2016年（前回発表・現状）	2030年
火力	64％	83％	56％
原子力	26％	2％	20～22％
再生エネルギー	10％	15％	22～24％

となっており、火力を削減し、再生エネルギーを増加させるという基本方針は貫いているが、原子力については20～22％という現状に比して大きな数値を打ち出している。この数字を完遂しようとするならば、原子力発電所の新増設は避けて通ることのできない状況と考えるが、政府はこの点については一切触れていない。因みに現状では、稼働可能な原発は30基あるが、稼働しているのはわずか9基にすぎない。今後大きく伸ばしていくとしている再生エネルギーも、それを普及させていく道は、極めて険しいものがある。

◆第2節　再生エネルギーの課題

この再生エネルギーに関しては、現在固定価格買い取り制度（ＦＩＴ）のもと、消費者が月々の電力料金で「賦課金」を負担して、再生エネルギーの導入を支援しているのであるが、その実態を、はっきりと認識している国民は少ないのではないか。皆さんが毎月の電気料金の領収書をよく見てみると、2012年7月から「再エネ発電賦課金など」という項目がある。これは何かというと「再生可能エネルギーで発電された電気を電力会社が買い取るために消費者が負担する料金」である。なぜこのような負担が発生するかというと、再生可能エネルギーで発電された電気（太陽光、水力、バイオマス、地熱）は国が定めている割高な料金で、電力会社が一定の期間買い取ることを義務付けられているためで、電力会社はその負担を消費者に割り当て負担を求めているからである。その金額は、平成29年5月から平成30年4月まではkWh当り2・64円にもなっている。しかしながら、この再生エネルギーも普及させていくための道は厳しいものがある。先にも述べたように、そもそも再生エネルギーは、固定価格買い取り制度のもと、消費者の負担により成り立っているのであるが、そのコストは年々増加しており、このコストを如何に抑えながら再生エネルギーを増やしていくかが大きな課題である。さらに、再生エネルギーは天候や時間帯によって出力が変動するという宿命的な弱点がある。したがって高性能な蓄電池などの新技術の開発が是が非でも必要となってくる。再生エネルギーの中ではまず太陽光が先行したが、風力が次の手段として有力である。しかし、狭い国土で風力の設備を増やしていくには当然限界があるので、これから考えていかねばならないのは洋上風力発電で、政府もそれを支援する方向にある。

◆第3節　火力発電の課題

ご承知のように2011年の大地震による津波のため、原発の稼働が相次いで停止したため、我が国では、現在火力発電への依存度が高まっている。一方海外からは温暖化ガスを多く排出する火力発電、特に石炭による発電には強い風当たりがある。今回の計画では、温暖化ガスの排出量を抑えた高稼働率のガス発電の導入を指向しているが、当然コストの問題もあり、すべての火力発電を、その方向に向かわせることは困難である。

◆第4節　原子力発電の課題

そうとなれば、今回の基本計画では原子力発電を20～22％に設定したのは、方向としては一応妥当性があると思う。したがって政府は、原発を温存していくために原発の新増設の是非に当然踏み込むべきであった。この焦点となるべきところに政府は触れなかった。将来も原発を活用することを謳っている以上、次世代の原発の在り方をもっと積極的に議論すべきと考える。我が国のエネルギー自給率は、原発の稼働が減ったため、震災前の20％から8％にまで低下し、世界の中でも底辺に位置している。そういう意味で今回の計画は、将来のエネルギー供給を、如何に安定させるかを、明確に打ち出すべきところであったにもかかわらず、極めて抽象的な結果に終わっているのは誠に残念である。「原発で2割」と唱えるなら、はっきりとそれに至る道筋を示すべきであった。

第二章　原子力発電の諸問題

◆第1節　プルトニウムの「保有量の削減」

しかし、原発の問題には、一方に立ちはだかる大問題がある。今回政府は、「エネルギー基本計画」の中で原子力発電所の使用済みの核燃料から出るプルトニウムについて「保有量の削減」に取り組むことを初めて明記した。我が国は核兵器非保有国の中で唯一国、使用済み核燃料の処理を認められている。この核燃料サイクル政策の根拠となっているのが「日米原子力協定」であるが、この協定は、日本と米国の間で1988年に締結され、30年後に当たる今年が期限であったが7月17日に、お互いに破棄や再交渉について提起しなかったために自動延長となった。ただし、米国は、日本に対して協定の延長に当たり我が国が現在保有しているプルトニウムの削減を強く求めてきたのであったが、日本では、今のところ消費のメドは、全く立っていない。延長された協定は日、米のいずれかが6か月前に通告すれば終了できることになっているため、仮に今後削減が進まない場合、日米間の摩擦の火種になりかねない。

◆第2節　高速増殖炉計画の挫折

日本が掲げる核燃料サイクルとは、使用済み核燃料からプルトニウムやウランを取り出して再処理し、再び原発の燃料として使用することを内容としている。もう少し詳しく書くとこのサイクルは次の通りとなる。すなわち原子炉の中に核分裂を起こすウラン235と、核分裂しないウラン238を入れて運転すると、ウランの燃えかすとプルトニウムに変化する。プルトニウムは、実は自然界には存在しない人工の放射性元素で、この元素は核分裂を起こすため、原子力発電の燃料となる一方核兵器の原料となる。したがってこれを取り出して再利用に供すればウランを半永久的に有効利用できる。プルトニウムは、まさに資源の少ない我が国にとって、貴重なエネルギー源といえる。プルトニウムは核分裂を起こすので、核分裂を起こさないウラン238を一緒に原子炉に入れると、プルトニウムから飛び出した中性子がウラン238に吸収されて、ウラン238がプルトニウムに変身する。この仕組みを利用したのが高速増殖炉で、ここでは燃料として投入したプルトニウムより多いプルトニウムが出現する。したがって資源的価値が極めて高く、高速増殖炉にかけられた期待は大きかった。しかし、期待の高速増殖炉「もんじゅ」は冷却材に取り扱いの極めて難しいナトリウムを使用するため、何回も事故を起こし、この計画は「もんじゅ」の廃炉が決定し、あえなく挫折した。

◆第3節　中止している使用済み核燃料の再処理

現在使用済み核燃料の処理については全くメドが立っていない。日本は、非核三原則を従来からとっており、国際社会に誤解を与えないよう余剰プルトニウムを保有しないことにしており、使用済み核燃料の処理についてはイギリス、フランスに船で輸送して処理を委託して、プルトニウムを取り出してもらっていたが、1995年から契約が変更となり、日本で使用済み核燃料の再処理を行うことになった。国内では東海村の再処理工場で分別を行っていたが、１９９７年に爆発事故が起こり分別作業は中止のままとなっている。

第三章　プルトニウムの利用促進

◆第1節　プルサーマル計画

さて、話は前後するがプルトニウムを利用する方法としては、前述の高速増殖炉を使う方法と、現在存在している原子力発電所を使う方法がある。高速増殖炉は、プルトニウムを消化するためには効率が高いが、前述のとおり「もんじゅ」の廃炉決定により実用化のメドは全くといってよい程立っていない。したがってプルトニウムの処理については、今ある原子力発電所の設備をそのまま使用するのが現実的な方法であり、この方法を「プルサーマル」といっている。具体的には、原子力発電所で一度使用した使用済み核燃料を再処理して取り出したプルトニウムにてウランと混合し、ＭＯＸ（モックス）燃料としてすでにある原子力発電所（軽水炉）で使用する。ＭＯＸ燃料は、外国で製造してもらい日本に運び込む。普通の原子力発電所では、燃料にウランを使用するが、プルサーマルは、プルトニウムも使用する計画である。しかし、このプルサーマルを中止した国も多い。なぜならプルトニウムは毒性が強く扱いにくいこともあるが、プルトニウムは、そもそも核兵器の材料であるため「核兵器をつくる」のではと疑われるからである。ＭＯＸ燃料はプルトニウが4～9％、ウラン２３８が91～96％であるが、海外では、高速増殖炉への取り組みはほとんどなく、プルサーマルが主流である。しかしプルサーマルの場合プルトニウムの割合が低くなってしまう。たしかに「日米原子力協定」は石油などの天然資源に乏しい我が国が使用済み核燃料を再利用できれば、準国産のエネルギーを確保することができるとして、米国側に熱望して生まれたものである。先にも述べたように再処理ができるのは非核保有国では日本だけである。日本に対抗意識を燃やす韓国では、米国に対して日本と同様に再処理する権限をしきりに求めているが、実現していない。

◆第2節　大幅に増加したプルトニウム在庫

しかし、東日本大震災による東京電力福島原子力発電所の大事故で状況は一変した。それまで20～30％の発電比率を占めていた国内の原発が一斉に止まり、英仏に再処理を委託して生まれたプルトニウムを燃料として消費することができなくなり、在庫は大幅に増加した。そのプルトニウムの量は、約47トンにもなっており、これは原発6千発分にも相当する。日米協定の主旨からして利用目的のないプルトニウムを保有することは、本筋から大きくはずれている。我が国としてはこの協定の主旨に沿い、プルトニウムの減少に前向きに取り組むべきではあるが、何分高速増殖炉はご破算となり、これに代わり減少を図っていくための手段であるプルサーマルも、削減効果という点で極めて弱体としかいいようがない。例えば120万キロワット級の大型原発でも、1基が1年間に消費する量は0・4トンにすぎない。原子力委員会の発表によると、2016年に関西電力高浜原発3、4号機においての実績では約1トン弱しか消費できなかった。今後、現在稼働の原発は9基であるが、これが計画通り16～18基の稼働にこぎつけても約47トンのプルトニウムを減少させることは至難の業である。新聞にも報道されたことがあるが、大震災以前に着工されプルサーマル発電を前提にした青森県の大間発電所は、対岸の函館市から横やりが入り、建設は遅々として進んでいない。仮にこの大間発電所が動いたとしても年間の消費量は1・1トンにしかならない。さらに悲観的材料としては、日本原燃が青森県において完成を目指す使用済み核燃料再処理施設が稼働すれば、使用済み核燃料から抽出されるプルトニウムが増加してしまう。政府は、再処理する量をプルサーマルの実施に必要なだけに限定する方針と聞くが、はたして目論見通りにいくであろうか。

◆第3節　プルトニウム削減は喫緊の課題

私もこの論を草するまで存じなかったのであるが、日本が保有する約47トンのプルトニウムの内、約37トンは使用済み核燃料の再処理を委託している英国とフランスにある。アメリカはこの国外在庫も問題視しており、日本政府内では英仏に譲渡する案も浮上しているようであるが、今後の交渉によることになる。以上述べたようにプルトニウムの問題解決は、我が国が避けて通ることのできない喫緊の問題である。しかし、現実は頼みの「もんじゅ」は挫折し、プルサーマルの対象となる原発の新設、再稼働は遅々として進まず、大幅にプルトニウムを減らす切り札がないことを政府も認めている。政府は、此度のエネルギー基本計画においてもプルトニウムの削減を盛り込み「国際社会に対して丁寧な説明をしていく」と述べているが、削減の実効性が伴わなければ米国が協定の見直しを迫ってきた場合、我々はプルトニウムの再利用を柱とした、日本の核燃料サイクルの根本的な見直しまで迫られてくるのではないかという危惧を持つものである。

当面我が国として対処すべきは、いろいろと反対論が多いのであるが原子力規制委員会のお墨付きの出た原発をできるだけ早期に稼働させることではないか。小泉元首相や細川元首相が原発廃止論を頻りに打ち出しているが、私はこのような観念論に基づく考え方は国の存在を誤るものと考えている。

第20話

瀬島龍三の謎

真実を語らず生きた人間性を問う

2019年2月26日

元大日本帝国陸軍大本営参謀、終戦後はシベリア抑留、そして帰国後は、伊藤忠商事の中枢に君臨して会長にまで登りつめ、退任後は、第二臨調（臨時行政調査会）の事実上の指導者として政財界に重きをなした瀬島龍三ほど、謎に満ちた人物はいない。私は昔からこの人物に興味を持っていた。

今回「金言で久しぶりの「人物論」」に彼を取り上げるのは、この瀬島が鐘紡を倒産に追い込んだ、元凶伊藤淳二を旧日本航空の副会長を経て会長に送り込んだ裏には瀬島がいる」と思うからである。伊藤は、取引先である伊藤忠商事元社長の、中興の祖といわれる越後正一氏と親しい関係にあった。労使関係がうまくいかなかった旧日本航空に労使協調路線を標榜して、一見円滑に会社を運営し労務問題の専門家といわれていた伊藤を越後氏は、当時伊藤忠の要職にあって中曽根首相とパイプの太かった瀬島を通じて日本航空に推薦したのではないかと私は思っている。伊藤は、老人殺しと言われるほど財界の長老に食い込むのがうまく、越後さんや当時は三井銀行の小山五郎頭取などにも可愛がられていた。

第一章　終戦までの経歴

◆第1節　軍のエリート官僚の道を歩む

さて、瀬島龍三は富山県の現在小矢部市（旧西砺波郡松沢村）に1911年12月に生まれるが、幼い時から秀才の誉れが高く県立砺波中学校、陸軍幼年学校を経て1932年陸軍士官学校を次席で卒業、さらに1938年陸軍大学校を首席で卒業し、関東軍第四師団の参謀を経て、1940年には大本営陸軍部作戦課に配属される。この間関東軍参謀時代には、対ソ連戦の示威演習である関東軍特殊演習（関特演）の作戦担当として作戦の立案に関わる。そして1941年には、同上第一課の作戦班長補佐となり、同年12月8日に太平洋戦争が開戦すると以後45年7月に関東軍参謀として満州に転出するまで陸軍の主要な南方作戦を軍事参謀として指導したのであった。

（主要な作戦…開戦初期のマレー作戦、フィリピン作戦、ガダルカナル撤収作戦、ニューギニア作戦、インパール作戦、台湾沖航空戦、捷一号作戦、菊水作戦（特攻作戦）、対ソ防衛戦など）

この間1944年にはクーリエ（一種の公認の軍事スパイ）としても、モスクワに2週間出張している。このことが後にソ連側からスパイとして追及される。

１９４５年7月に竹田宮恒徳中佐の後を受け関東軍作戦参謀となるが、同年8月15日の日本の降伏後の8月19日にソ連軍との停戦交渉にのぞむ。

◆第2節　参謀時代の汚点

話は前後するが、１９４４年10月12日から16日に行われた台湾沖航空戦は、日本が米軍のフィリピン上陸を阻止すべく準備していた中、米海軍機動部隊は突然台湾の航空基地を攻撃したため、これを迎撃した日本軍との間で熾烈な戦いが繰り広げられたのであった。アメリカ軍の損害は軽微なものであったにもかかわらず、日本軍は大戦果と発表したため、比島防衛がおろそかになっていたところに、意表をついて米軍は、フィリピン本島ではなくレイテ島へ来襲したため容易に上陸を許したのであった。この大戦果が誤報であることを再三大本営に連絡した堀栄三参謀の電報を、あろうことか握りつぶしたのが瀬島であることは、本人自身が明らかにしている。この行動により、瀬島は「小才子で大局の明を欠く」と批判されている。彼の握りつぶしにより、どれだけ多くの将兵の血が流されたかは事実が証明しているが、彼の参謀時代の大きな汚点であろう。

◆第3節　ソ連との停戦交渉における密約疑惑

さて話を元に戻し、彼は8月19日のジャリコウヴォで極東ソビエト赤軍総司令官ヴァシレフスキー元帥他2名の元帥、将軍と関東軍参謀長秦彦三郎中将および通訳の宮川舟夫と3名で交渉に当たった。その停戦交渉の内容の詳細について、おそらく停戦交渉は交渉とは名ばかりの一方的なソ連側からの命令に終始したのではないかと想像できるのであるが、その後シベリアに抑留され、厳寒と粗食、そして強制的な重労働にあえいだ日本人は約57万5千人といわれ、内約5万9千人がシベリアの土となった。これはポツダム宣言に違反するものであったが、このような事実のもとになった停戦交渉の詳細を、一切瀬島は明らかにしていない。実際に抑留された人の中からはこの交渉の中で、捕虜を人的な賠償として差し出すという密約が取り行われたという疑いは十分にあると言い切っている者が多数いる。歴史の証人として瀬島には、その責任が十分あったにもかかわらず、重ねて言うがその詳細は一切つまびらかにしていない。

第二章　シベリア抑留時代

◆第1節　極東軍事裁判ではソ連側証人として証言

その後、瀬島はシベリアに11年間抑留されることになる。この11年間瀬島は、将校としては労働義務がないにもかかわらず、強制労働に従事させられたといわれているが、後に述べるように彼の言動には疑われる節が多い。この間、彼は連合国側から極東軍事裁判にソ連側証人として出廷することを命じられる。

１９４６年9月17日、関東軍鉄道司令官草場辰巳中将と総参謀副長松村知勝少将と共に、ウラジオストクから空路証人として市ケ谷に送られる。草場中将は、東京裁判における法廷での証言を潔しとせず、東京へ連行された３日後の１９４６年9月23日服毒自殺を遂げた。

彼は、ソ連側の検事証人という旧帝国陸軍軍人として屈辱的な役割を受け入れさせられた時から自殺を決意していた節がある。その日記には、自殺に至る心境が綿々と綴られてれてい たようである。なぜ自殺を選択しなければならなかったかについては、証人訊問調書で、彼は日本陸軍が対「ソ」戦準備を実行して戦争計画を持っていたと証言し、これは、日本陸軍内部で計画されていた戦争準備案が即実行に移される「対ソ侵略計画」であるというソ連の告発理由を、十分に裏付けるものであった。他の二人、松村、瀬島の自筆の供述書もワシントンのナショナルレコードセンターに残されており、草場と同様あるいはそれ以上に饒舌に参謀本部内の対ソ連計画をソ連側に告白したものと思われる。特に瀬島は、大本営参謀として知り得た作戦計画およびその細部を語っている。また松村も作戦計画が生み出された背景を詳細に語っている。ソ連側としてはこの二人の証言を組み合わせれば「対ソ侵略計画」が裏付けられると判断したのではないか。ソ連の検事団は、日本陸軍は対ソ侵略を計画していたと告発していた。そしてその証拠として次のような瀬島の供述書を読み上げる。「昭和17年度に於いて参謀本部の計画は攻撃計画であり、作戦は急襲的に開始する予定でありました」即ちソ連はこの「攻撃計画」を「対ソ侵略計画」とみなしていたのである。瀬島は、この「攻撃計画」は単なるペーパー上の年度計画であり、「対ソ侵略計画」には当たらないのではないかという弁護人側の反対訊問を否定してしまう。具体的には「昭和16年、17年の計画は攻撃計画であり、昭和19年、20年の計画は守勢計画であった」と供述してしまう。これは、16年、17年には攻撃計画が存在していたことを意味してしまうのである。

もう一つ瀬島の供述で重大な点がある。すなわち「参謀本部の作戦計画に関東軍は関係を持たず、参謀総長が天皇に会って裁可を頂き、これを関東軍司令官に伝達し、これに基づき関東軍司令官は自己の作戦計画を立案する」と証言、さらに「関東軍司令官に与えられているものは大元帥陛下の命令であります」この証言から導き出されるものは、関東軍の攻撃作戦計画も天皇の裁可を得ている以上、天皇の責任ということになる。このことはあらためて天皇の戦争責任にふれる重大な意味を持っている。

瀬島を賛美する著作の中で天皇の責任には一切ふれなかったとか、かつての上官を守るために論を展開したとか言っているが、実際には前記の通り「攻撃作戦計画」の存在や天皇の戦争責任を間接的ながら証明したものであった。

極東軍事裁判に出廷した3人の内、草場中将は自殺し、松村少将は昭和31年に帰国し、その後ソ連問題研究家として生き、その間「関東軍参謀副長の手記」を公刊するが、その中でソ連側の証人になったいきさつには一切触れていない。家族にも収容所の生活について何一つ話していない。一方瀬島は、抑留中の詳細な事実には一切口を閉ざしている。そして抑留から帰国後、商社経営の中枢として、また臨調の重鎮として活躍し、他の2人の証人との落差は余りにも大きい。瀬島は、東京裁判へ出廷した事実を「大本営の2000日」の中でわずかに語っている。それによると「最初は何で突然連れて来られたのかわからなかった。羽田から丸の内の三菱のビルに連れて来られた。そして2～3日してから東京裁判の証人として連れてこられたことがわかった。証人台に立ったのはたしか9月18日であった」と言っている。全てうそである。同じく証人として連れてこられた草場中将は、詳細な日記を残しており、それによると「最初はなんで突然連れて来られたのか全然わからないんです」という話は事実に反している。日記によると、東京に来る1ヶ月半以上前に瀬島は他の3人（草場、松村、樺太庁長官大津）と一緒にソ連軍将校と食事をとりながら、東京裁判に証人として出廷することについて話し合っているからである。また「証人台に立ったのは9月18日」も事実に反している。正確には10月18日である。

◆第2節　主人公を極端に美化している小説「不毛地帯」

昭和史研究の第一人者である保阪正康氏の推理によると10月18日を9月18日としたのはある文学作品、すなわち昭和48年から53年まで「サンデー毎日」に5年間にわたり連載され、後にベストセラーになった山崎豊子氏の「不毛地帯」の主人公、元大本営参謀「壹岐正」が9月18日に東京裁判のソ連側証人として立ったことになっており、それが頭にあったのではないかということである。「不毛地帯」はあくまで小説であるが、大日本帝国陸軍参謀の主人公がシベリアで辛酸をなめ、11年間抑留の後帰国、総合商社に入り、以後最初は民間の仕事になじまなかったが戦闘機の輸入に関する仕事に携わり、旧陸軍のコネクションなども生かしその輸入に成功して異例の出世をとげる。その後日米の自動車会社の提携や中東における石油掘削プロジェクトにも成功するが、最後に社長と対立して会社を辞め、シベリア現地で死んだ日本人の墓参と遺骨の収集に向かうのである。主人公壹岐正のモデルが瀬島龍三であることは間違いないが、先にも述べたようにあくまでこれは小説である。付言すると瀬島龍三も利根川首相（中曽根康弘）のブレーンとして登場する。しかし、山崎豊子の書く小説では他にも旧日本航空において会社側と対立した労働組合委員長小倉完太郎氏をモデルとした恩地元と、伊藤淳二をモデルとした会長国見正行を主人公とした小説「沈まぬ太陽」があるが、両書共に共通するのは極端に主人公を美化しているのである。これは文学作品であるからいたしかたないであろう。瀬島にインタビューした保阪氏によれば、瀬島自身も証人として東京に来た時、家族に会わせるとのソ連側の申し入れを絶ったとしているが、実際には家族に面会しており、彼は法廷で証言した後1カ月近く東京に滞在していたのに、保阪氏には「わずか1週間ほどしか東京にいなかった」と語っておりその期間は「不毛地帯」に述べられている期間と一致している。

◆第3節　シベリア抑留時代の謎

裁判後シベリアに連れ戻され1950年の後半まで抑留生活を強いられた。その間の詳細について彼は明らかにしていなかった。彼が公式にシベリア収容所の体験を公にしだしたのは第二臨調委員に就任してからである。しかし、その内容も全く一つのパターンが繰り返されていたに過ぎない。その内容は「昭和21年自分は大本営参謀であったというかどにより、即決で重労働25年の刑をいい渡された。そして翌日から重労働に服した。そして昭和31年日本に帰るまで11年間労働に服した。伐採や石炭堀、シベリア鉄道の貨車の荷下ろしもした。その他土工作業も経験し、およそ重労働のほとんどを体験した。しかしあの厳寒の地で重労働では25年は生きられないと思い、手に職を付けた方がよいということで左官屋に弟子入りして左官屋すなわち壁塗りである。そして帰国するまでこの仕事を続けた」彼はいろいろな席で語っているが今述べた全てがワンパターンである。

一方「明日の命がどうなるのかわからない。毎日おなかペコペコで労働はきつく恐らく人間の「生活」ではなく人間の「生存」という11年間でありました」このようにシベリア収容所で人間の極限を見、これを機に人生観が変わったという。その人生観が変わったということを彼は著書「大本営の２０００日」の中で、「自分は陸軍のエリート生活の中で階級がすなわち人間の価値だと信じていたが、シベリアの生活から階級とは単に一つの組織を維持する手段に過ぎない。人間の価値とは全く別のものであることに気がついた」とも述べている。以上が瀬島が語るシベリア体験であるが、瀬島には十分に語っていないことが多々あるのである。というのは瀬島がシベリアにおいてその所在がはっきりとしていた場所は１９４６年7月6日から翌47年1月中旬までハバロフスクの収容所から「夏の家」という別荘に移され、東京裁判の証人として東京に連行された6ヶ月間、そして１９４５年4月から１９５１年8月の帰国まで戦犯として収容されていたハバロフスクの第二十一分所で生活した期間だけなのである。その他の年月はどの収容所でどのように過ごしていたのか明確になっていない。１９４７年末から１９５０年4月まで瀬島は、モスクワ近郊にあった第７００６捕虜収容所に大本営情報参謀朝枝繁春少佐と関東軍情報主任参謀志位正二少佐、元大本営戦争指導班内閣嘱託の種村佐孝少佐と共に収容されていたと見られている。朝枝、志位はその経歴からみて、25年の刑を宣告されてもおかしくないのに１９５０年、１９４９年に帰国している。その後１９５４年に発覚したソ連の対日スパイの元締ラストボロフ事件にからみ、帰国していた志位、朝枝の両名が、自分等はラストポロフに協力していたと警視庁に自首したのであった。前記の第７００６収容所は日本へ帰国した後民主化運動、共産主義運動のリーダーとなるべく機密要員を訓練する学校でラストボロフはその教員の一人であり、ここには11名の日本人が収容されていたとされ、その内氏名が明らかになっているのが種村、志位、朝枝、瀬島であったという説があるが確認されてはいない。しかしいずれにしても瀬島にはスパイではないかというグレーな部分が付きまとっていることは確かである。

元警察官僚で浅間山荘事件を指揮した佐々淳行氏は一貫して瀬島スパイ説を主張している。実はかつて國民會館で佐々さんに講演していただいたことがあった。講演後の雑談の中で瀬島はスパイかと思い切って聞いてみた。答えは直接的ではなかったが、私は肯定と受け取った思い出がある。瀬島の体質は東条英機、服部卓四郎、辻政信と全く同質の陸軍官僚の典型といってよい。

第三章　シベリアから帰国した後の経歴

◆第1節　華々しく昇進していった伊藤忠商事時代

彼が興安丸でシベリアから帰国したのは1956年8月18日であった。帰国後彼は1958年1月伊藤忠商事に入社する。伊藤忠は、大阪から出たいわゆる五綿といわれる繊維専門商社の一つであったが、社風はねばり強く質の高い人材をそろえていた。彼は1等から5等まである社員資格の内、4等社員として入社したのであるが、この地位は高卒女子社員と同様の扱いであった。一方仕事も特別なものが与えられたわけではなく、一日中日比谷の図書館に通い古い新聞などを読み、自己に足らぬところを埋めることに費やしていたようである。瀬島が入社した昭和30年代にはまだまだ旧軍人に対する風当たりはきつかった。瀬島に陽があたり出したのは１９６０年10月に越後正一氏が社長に就任してからであった。越後氏は伊藤忠兵衛氏子飼いの典型的な近江商人で、その才覚は抜きん出たものがあった。この一繊維商社であった伊藤忠を大手総合商社にまでのしあげた功労者であった。社長に就任した当時、同社は94％を繊維に依存しており残りの６％は染料であった。越後は伊藤忠の業務の内容を鉄鋼、木材、化学品などに拡大していくのである。越後は、旧陸軍参謀本部で参謀であった瀬島のことを聞きつけ、軍人であったからには軍人時代のコネクションを持っているのではないかと考え、彼に軍用機の営業をやらせてはどうかと考える。当初は越後というわば参謀本部長に仕える参謀という役割であったが、彼は持前の才覚で事を進めたため社内には反瀬島の空気が生まれたこともあった。しかし総合商社への脱皮を目指す越後は瀬島を巧みに使い、社内もその方向に動かざるを得なかったから瀬島の役割には重みがつき、その後、彼は異様なほどのスピード昇進をはたしていった。すなわち１９６０年７月には航空機部長、翌年10月には業務部長、１９６２年４月業務本部長、５月には取締役となり、１９６３年常務取締役、１９６８年５月専務取締役、１９７２年５月副社長、１９７７年に副会長、そして１９８２年６月に会長に昇進している。１９８６年には会長を退き相談役、１９９２年７月に特別顧問となった。

この華々しく昇進した時期は越後の悲願であった防衛庁への米国戦闘機の売り込み商戦においても、伊藤忠が勝利を収めた時期に符合している。繊維商社に過ぎなかった当社が当時５００億円という大規模な航空機商戦に勝利したことをきっかけに、同社は総合商社へと大きく変貌していくのである。しかしその中味については注釈がいる。瀬島が入社する前年、1957年6月に政府は国防会議において旧来のF-86F戦闘機に替わり、新戦闘機のライセンス生産を行うことを決定した。そして紆余曲折の結果、他の有力機を押さえて伊藤忠のかつぐグラマンのF-11Fに決定したのであった。伊藤忠は、自民党の党人脈(河野一郎など)に食い込み勝利をものにしたのであったが、決定後ロッキードが猛然と反撃に出て1958年9月にこの決定を白紙に戻してしまう。結果として伊藤忠の政治工作に手抜かりがあったといわれている。そして1959年11月に正式にロッキードF-104Cのライセンス生産が決定する。

越後は、グラマンがロッキードにひっくり返された後社長に就任したのであったが、瀬島を重要視したのは今後の商戦に当たり、旧日本陸軍の人脈を活用するという意図を持っていたからである。このため瀬島は1960年4月に航空機次長になるとその3か月後部長となったのであった。そして翌年7月政府は国防会議を開き二次防を決定したのであったが、その目玉となったのは「自動防空警戒システム」バッジシステムといわれるもので、これは日本の防空設備、施設をコンピューター化するという大規模な防衛設備で、総額500億円になるものであった。この商戦にはヒューーズ、GE、リットンの3社が名乗りをあげ、いろいろ問題はあったが最後にヒューーズ社をかついだ伊藤忠が商戦を勝ち抜き、前回の戦闘機商戦の雪辱をはたしたのであった。

伊藤忠に業務部ができたのは1958年であったが、瀬島は翌10月に3代目の部長に就任し翌年業務本部長となる。当時の伊藤忠はタテ割りの組織であった。例えば繊維部門の中で方針が決まると、そこでプロジェクトチームができ、営業もその範囲の中で行っていく。鉄鋼部門も同じやり方であった。瀬島はタテ割りの組織に反感を持っており全社的に業務を統合できるスタッフが必要と考えていた。すなわちこの業務本部を頭脳集団として、営業はその方針のもとで働くということである。これは大本営の作戦参謀が個の派遣軍に命令を下すという方式そのものである。その後新しいプロジェクトはすべて業務本部が中心となり取り行われるようになり、まさに業務本部は社内の中枢部門となっていき、瀬島機関と称されるようになり若手の憧れの部署となるが、それがまた別に社内の軋轢の種ともなる。

◆第2節　伊藤忠商事での活動における評価

それでは瀬島の伊藤忠における功罪をどう評価するかであるが、まず功の方ではバッジシステムでの成功、さらに瀬島自ら自慢するGMといすゞの提携をまとめたこと、プリマハムを世界最大の食肉メーカー、オスカーマイヤーと提携させたこと、洗剤メーカーP&Gと日本サンホームの提携に成功したこと、一方罪の方では土地問題や東亜石油の問題は根が深く、伊藤忠の経営を長年にわたって苦しめたのであった。また安宅産業との合併についても瀬島は反対であった。瀬島の活動についてのマスコミの評価は「可もなく不可もない」という見方と「失格」という厳しい考え方をする向きも多くある。

私はダイワボウという繊維の会社に勤めていたので、ある時期、伊藤忠さんには毎日のようにお邪魔していた。それだけに知人も多かったが、概して繊維部門の社員の瀬島に対する態度には冷たいものがある。私が携わっていた当時、毛糸部門の課長で、その後副社長にまでなられた方に瀬島氏のことを聞くと、「自分とは世代の違いもあり直接話したことは少なかったが、一度こういうことがあった。東南アジアの確かタイで現地との合弁で生産工場を立ち上げるという案件で、自分がその担当であったので瀬島氏の所に案件の説明に行ったことがある。瀬島氏は前々から繊維部門には冷たかったが、その時も今更タイに繊維工場をつくってどうするのかと頭から否定的であったのでやむを得ずそのプロジェクトを進めることができなかった。後日その案件は競争会社の丸紅が取り上げ大変な成功をおさめたと聞いている」

もう一つ、中高時代の友人で後に海外有名メーカーとの合弁会社の社長を歴任した彼はこう言っている。「瀬島氏は1958年小菅社長時代に入社し、越後社長（60～74年）時に業務本部長（その後取締役、副社長、副会長、会長）となってから伊藤忠全体を見る立場になった。「儲けること」が最優先で、伊藤忠の屋台骨を背負う気概だけは強い繊維部門からは実に煙たい存在で、その後の戸崎社長時代には繊維部門は瀬島氏からとことんいじめられたと聞く。当時の繊維部門の中堅上層部にとって良い思いは全くないはずである。表面的には78年の会長退任で伊藤忠における表舞台を去るが、その後政財界に影響力を発揮、実際は2000年の特別顧問を退任するまで伊藤忠には隠然として影響力を持っていた（いわゆる「瀬島機関」などといわれるKGB的なものが社内にあったと聞く）」と話してくれた。

◆第3節　第二臨調を私物化

さて、実権のない会長となって彼は1978年頃から財界活動をするようになった（日本商工会議所特別顧問、東京商工会議所副会頭など）。そして1981年当時まだ会長であった瀬島のもとに、当時の首相鈴木善幸から「今度できる第二次臨時行政調査会の委員を引き受けてほしい」という依頼があった。一度は断るが、日本商工会議所会頭の永野重雄から再度口説かれる。さらに会長に擬せられていた土光敏夫に呼ばれ「今度の行政改革は国家民族の将来にとって絶対にやらなければならないことである」と委員就任を要請され、委員就任を引き受ける。一方当時行政管理庁の長官であった中曽根康弘も働きかけたといわれている。

第二臨調の発足にあたって土光が、鈴木や中曽根に要求したのは「増税なき財政再建、3K（国鉄、コメ、健康保険）の赤字解消、地方行政改革の断行、答申の完全実施で、これが受け入れられなければ第二臨調をつくる意味はない」と言い切った。

調査会のトップを司る委員は9人であった。土光を会長にして、会長代理が日経新聞顧問の円城寺次郎、委員は日本赤十字社社長の林敬三、旭化成社長の宮崎輝、伊藤忠会長で後相談役の瀬島龍三、国際基督教大学教授の辻清明、東京証券取引所理事長の谷村裕、同盟副会長の金杉秀信、総評副議長の丸山康雄であった。この委員会の下に専門委員21人、参与（発言力を持つ）55人、顧問が5人、総計90人という大組織である。当然9人の委員で構成する委員会が総理大臣に答申する基本方向を決定するはずで、決めた方向にしたがって問題ごとに専門部会に検討を委ねることになっていたが、最上位の位置にある9人の委員は現役で活躍している人がほとんどで、実際の業務を仕切るのは事務局中心となってしまい、これは伊藤忠の会長をはなれ、相談役となった瀬島の独壇場ということになってしまったのである。彼は実際に9人で構成する委員会を骨抜きにしてしまった。そして瀬島と多分中曽根に近い専門委員あるいは9人の委員の内の何人かで組織を動かしていった。それにはあくまで実現可能な範囲で実行していくという線引きをして動かすようにしたのであった。これが俗にいわれた裏臨調の姿であった。すなわちこの裏臨調を仕切ったのが瀬島だったのである。中曽根はこの瀬島の「実現可能な範囲の答申」とは自己の意に沿った答申が出されるものと考え、瀬島の動きを歓迎した。１９８１年（昭和56年）７月に第一次答申を出したがその内容は「行財政需要の惰性的な膨張を思い切って抑制するために行政の制度、施策の抜本的な見直しを行うことにより支出の節減と合理化を図る。各省庁の歳出額は原則として前年度と同額以下に抑制する」というもので、これは１９８２年（昭和57年）予算のゼロシーリング、１９８３年（昭和58年）予算のマイナスシーリングとなって実現した。さらに大きな答申としては１９８２年（昭和57年）７月の第三次答申で、これは三公社の民営化に関するものである。少数派閥の中曽根は何とかこの臨調を自己の政権獲得の道具として使いたかったのである。中曽根が首相になって瀬島や部会の専門委員がブレーンとして中曽根と意を通じて動く以上、もう臨調は諮問機関ではなく、首相の政策を後追いしていく機関に過ぎなくなった。要するに中曽根、瀬島は第二臨調を私物化したのであって、瀬島のはたした役割は第二臨調の歴史的な役割をあまりにも矮小（わいしょう）化（短小）してしまったのではないか。

■おわりに

最後に保阪氏のスタッフが第二臨調に加わっていない五十代、六十代の財界人にインタビューした時、その一人が声をふるわせて述べた一言こそ瀬島氏に対して持っている一般の方々の感想ではないかと思う。

「瀬島さんのことについてインタビューはお断りします。あの方はこれまで責任というものを一度もとられていません。大本営参謀であったのに、その責任を全くとっていないじゃありませんか。伊藤忠までは許せます。戦後は実業人として静かに生きていこうというなら個人の自由ですからとやかくいうことはありません。それが臨調委員だ、臨教審委員だとなって、国がどうなのか教育がどうなのかという神経はもう許せません。私達学徒出陣の世代だって次代の人に負い目をもっているのに瀬島さんは一体何を考えているのか全くわかりません」と電話口で語気を強めた。その他官僚ＯＢや学者、あるいは何人かの財界人からも戦場での辛い戦闘経験を持つものには瀬島の存在がどうしても合点がいかぬとの声があるといっている。

私は前々から瀬島龍三なる人に大変興味があったので一度書いてみたいと思っていた。一般には山崎豊子氏の「不毛地帯」のモデルが瀬島氏であるとして大変好感を持つ人も多くいるのであろうが、私は昭和２桁の最初の頃の生まれで戦争を知っている最後の世代として、どうしても彼の真実を語ろうとしない態度が納得できなかった。今回この稿を起こすに当り次の３点の書籍を大いに参考にさせていただいた。

①共同通信社会部編「沈黙のファイル」「『瀬島龍三』とは何だったのか」

②保阪正康著「瀬島龍三参謀の昭和史」

③保阪正康著「昭和の怪物七つの謎」特に②については全面的に参照させて頂いた。

第21話

朝鮮併合の真実

隣国でありながら歴史観かみ合わず

２０１９年３月31日

１９４５年（昭和20年）我が国の敗戦後、北緯38度線をはさんでソ連の影響下にある北朝鮮、自由主義陣営に属する韓国という二つの分断国家が誕生してから73年が経過した。その間１９５０年（昭和25年）６月25日、突然北朝鮮軍が38度線を侵して韓国に進入し、これに対してアメリカを中心とする国連軍が結成され、一時は釜山にまで追い込まれるが、国連軍は、仁川に上陸して反撃に移り、逆に38度線を越えて北朝鮮の首都平壌を占領、さらに北進を重ねたところ、中国人民解放軍が鴨緑江を越えて介入してきたため、両軍は一進一退を重ねるが、１９５３年（昭和28年）７月27日休戦協定を結んだ。そして38度線をはさんで現在、大韓民国と北朝鮮人民共和国が並立の状況が続いている。注意すべきは、あくまでこれは終戦協定の締結ではなく休戦協定であって、名目上は、現在も両国は戦時下にあることを認識しておかなければならない。その後、韓国は日本からの多額の援助を基にして、「漢江の奇跡」といわれた経済発展を遂げ今日に至っているが、北朝鮮は、金日成に続く金王朝が統治して、経済的な発展においては韓国に大きな遅れをとっている。しかし近年、核開発とその運搬手段であるミサイルの開発に成功し、対外的に平和をおびやかす極めて厄介な存在となっている。今回は、この核問題を論じるのではなく、朝鮮半島が、我が国が敗戦により撤退する前、如何なる状態であったか、日韓併合がどうして行われたのかを考えてみたい。

第一章　韓国併合の概要

◆第1節　政治的反日の原因

我が国は、核問題のほか北朝鮮との間には拉致問題を抱え、非常に難しい状況にある。一方韓国との間にも従来から竹島問題や漁業など問題は山積していたところ、２０１７年（平成29年）３月に朴槿恵大統領が大統領弾劾により失脚し、５月の大統領選挙で容共派の文在寅氏が当選した。そもそも確かに韓国は隣国ではあるが、歴史的な経緯や政治や教育などの誘導により、韓国民の反日感情は著しく高い。しかし、日本韓国間の貿易総額はそれぞれが第三位の貿易相手国となっており、経済的な結びつきは極めて強い。

ところで、文大統領就任以来、立て続けに韓国側から次のような理不尽な問題が突きつけられ、現在日韓の間は最悪な状況に陥っている。すなわち前政権と合意していた「慰安婦問題」

の蒸し返し、次に徴用工裁判における1965年（昭和40年）の日韓請求権協定で解決済みの案件に対する損害賠償の判決確定、さらに航空自衛機に対するレーダー照射に対して全く事実と反することを主張している。さらに下院議長の慰安婦に対する天皇の謝罪要求、少し前になるが海上自衛隊の旭日旗使用禁止要求などが次々に出て、日本国民はその出鱈目ぶりに唖然としている今日この頃である。

前々から保守政権においてすら反日的な行動が目立つ韓国であったが、文大統領は基本的に北朝鮮に全面的に傾斜する容共政権であり、このまま推移するならば在韓米軍の撤収すら予想され、我が国の防衛という点から極めて由々しい事態となるのではないかと憂慮される。

そもそも韓国が政治的反日に固まっている原因は矢張り、1910年（明治43年）から1945年（昭和20年）に至る日韓併合に起因している。韓国は、一方的に日帝35年の支配により疲弊して、日本の統治こそが悪の根源であるという考えに基づく教育が一貫して行われ、それが国民の頭の中に刷り込まれていることがそもそもの問題と考える。実際我々日本国民の間でも韓国を日本がどのような形で併合したのか、どのような統治が行われたかについて、認識している人は少ないのではないか。また朝日新聞を中心とする反日グループが従軍慰安婦など、事実と違う報道を撒き散らしたため、日本の韓国統治こそが悪の根源であるという考えを持つ日本人が多数いることも事実であろう。

◆第2節　併合前の朝鮮半島情勢

韓国併合（日韓併合）とは1910年（明治43年）に我が国が、当時存在していた李氏朝鮮の最後の姿、大韓帝国を併合したことを指す。この「韓国併合」は日本が武力により一方的に制圧、占領して実現したものではない。大韓帝国が日本の統治下に入ることを選択して、「韓国併合に関する条約」により実現したものである。一般に多くのマスコミは韓国、台湾の植民地化という言葉を使うが、韓国の場合は併合であり、あくまで植民地ではなかったことを強調しておきたい。

しかし、一方ではこれは日本の韓国に対する侵略、そして「植民地化」が行われたと主張して噛み合わない。それではその時代に日本により何が行われたのか、日本の統治以前と以後どのような変化が生じたのかということを、我々はよく頭に入れておく必要がある。

「韓国併合」あるいは「日韓併合」の対象は現在の大韓民国ではなく、先に触れたように大韓帝国のことで、これは現在の韓国と北朝鮮を合わせた朝鮮半島一帯を統治していた国のことである。元々この大韓帝国とは朝鮮、あるいは李氏朝鮮という国名であったが、これは中国の冊封（さくほう）体制に組み込まれた明や清の属国であった。

李氏朝鮮は、１３９２年から約５００年間朝鮮半島を支配した王朝であったが、それ以前、半島を支配していた高麗の臣下であった李氏が主君を裏切り、明の力を借りて起こした王朝であった。そのため建国後も明に隷属し、明の滅亡以後も続く清王朝の属国であった。李朝は朝鮮民族が古代から高麗にいたるまで持ち続けていた自立心を放棄して（例えば高麗〈高句麗〉はかつて隋の煬帝を完全に敗退させた）完全に明の傀儡国家で、国民を奴隷化し、私有の財産は全て没収するという文字通りの専制王権制度の国で、現在の北朝鮮と酷似している。両班階級（武班、文班、すなわち貴族階級）がまさに住民を蛆虫のように扱った５００

年間であり、人口は現在の北朝鮮と同様搾取と飢餓により減り続けた。「他力本願ながら李朝の歴史に終止符を打った日韓併合は、この民族にとって千載一遇の好機であった。これを否定することは歴史の歪曲である」と崔基鎬（チェ・ギホ）氏は言っている。

このように500年の長きにわたり、国民は窮乏し、文化が停滞した歴史こそ日韓併合前の朝鮮半島の姿であった。しかし、1895年（明治28年）に日清戦争において勝利した日本は、その後の日露戦争を経て清から李氏朝鮮を独立させ、500年ぶりに朝鮮半島は解放されたのであった。（大韓帝国の成立）

このような状況下にあった朝鮮を日本が併合した理由は、勿論日本の利益を守るためであって決して朝鮮の人々を李王朝の暴政から救うためではなかった。

さて話は前後するが、当時の日本を取り巻く状況の中で、日本が一番脅威を感じていたのはロシアであった。ロシアは南下政策をとっており、ロシアの勢力が朝鮮半島まで南下されると北海道のすぐ北にある樺太（サハリン）と九州の北側にある朝鮮半島により挟撃される形となり、日本への脅威は一段と高まる。したがって朝鮮半島はなんとしても死守しなければならない最後の砦であった。しかし、国力の落ち込んだ李氏朝鮮には自力でロシアから朝鮮半島を守る力は皆無であった。そこで、日本は朝鮮半島を何とか近代化して、ロシアの進出を阻むために影響力を及ぼそうとしたが、長年宗主国として朝鮮を属国化していた清国は、当然それを許すはずがなかった。そこで日本は清国を排除すべく勝負に出る。日清戦争「1894～95年（明治27年～28年）」の始まりである。結果は世界の予想に反して、日本はこの戦争に勝利して朝鮮半島に影響力を確立することに成功する。しかし旧宗主国の清国に変って朝鮮半島に対しロシアは影響力を強めたのである。

朝鮮自体自ら自国を改革して行こうとする機運に乏しかったため、益々ロシアの力が強まって行った。朝鮮半島は上述の通り我が国の生命線であったから臥薪嘗胆を重ねた我が国はついに明治37年（１９０４）ロシアとの開戦（日露戦争）に踏み切る。戦いの結果は世界中の大方の予想を裏切り、日本が勝利をおさめ朝鮮半島に対する影響力を確固なものとした。

この結果、李氏朝鮮は独立して国号を大韓帝国と改める。また、これにより朝鮮の王であった高宗はかねてからの念願がかない、自らを「王」から「皇帝」に格上げさせ、清の皇帝と肩を並べたのであった。しかし、これにより韓国が独立国として清に変わって日本の影響下に入り、その後の日韓併合につながっていくのである。

◆第３節　併合後の朝鮮社会の変化

日本の併合後、どのような変化が起こったかであるが、一つは人口の増加である。日韓併合とともに朝鮮の人口は急激に増加した。例えば前出のチェ・ギホ氏の著書「歴史再検証・日韓併合の眞実」およびオ・ソンファ（呉善花）氏の「日本の統治は「悪」だったのか？」によると、韓国の１７７７年の総人口は１８０４万人であったが、67年後の１８４４年には１６８９万人に減少した。また、日韓併合時の１９１０年には１３１２万人だったが、併合後には最終的に２５１２万人（１９４４）と2倍近くにまで増加している。

このように清の属国時代には右肩下がりであった人口が、わずか30年強の日本統治時代には倍増したのであった。人口増加の要因は、経済力が伸びたことである。１９００年（明治

33年）前後以降、日本から朝鮮に投じられた資本は実に80億ドルにのぼっている。この資金により北部は大工業地帯がつくられ、南部においては商業が大きく伸張した。開墾、干拓、灌漑などの大規模な土地改良により米の生産は飛躍的に伸びた。併合当時、米の生産高は１０００万石であったが、１９３２年（昭和７年）には１７００万石、１９４０年（昭和15年）には２２００万石にまでなっている。一方鉄道、道路、架橋、航路、港湾などの交通設備や電信・電話などの通信設備の敷設、大規模な水力発電所が全国的に稼働した。植林も毎年行われ、１９２２年（大正11年）までに植林された苗木は10億本といわれている。現在のソウル近郊の山々はすべて李朝時代にははげ山であったが、植林が進んだため緑を取り戻している。一方工業生産高は１９２７〜33年（昭和２〜８年）は３億円台、１９３５年（昭和10年）には６億円台超、１９４０年（昭和15年）に18億円台超となり、工業の成長率は１９１４年〜27年（大正３年〜昭和２年）には年平均５・３％、１９２８〜40年（昭和３年〜15年）は年平均12・４％と急速な成長を遂げた。さらに一人当たりのＧＤＰも１９２０〜30年代は年間約４％上昇した。（当時の世界諸国では高くて２％程度であった）その他人口増加を含めて国力の伸びた要因としてチェ氏は両班、常民、賤民などの厳しい階級制度のもとで少数の支配者が、住民の大部分を支配するという悪弊が払拭されたこと、公正な裁判が行われるようになり賄賂の習慣が一掃されたこと、私有財産制度の確立、職業選択の自由、居住の自由、そして何よりも経済秩序が確立されたこと、教育の普及と医療制度の近代化をあげている。

　このように清の属国であった李氏の時代に比べると朝鮮社会はあらゆる点で改善を見たことは明らかである。ところが現在日本では「韓国併合」をただ一方的に日本が搾取して韓国人を苦しめ、虐げたかのように言われているが、それが間違いであることは、前記に述べたように明らかである。日本の功績を隠蔽して罪悪感を植え付けようとしたのはアメリカの占領政策であることは間違いない。また、アメリカの占領政策に乗りかかって韓国（大韓民国）が日本を攻撃するための手段として利用していることも明らかである。このように書いてくると日韓併合はロシアの南下により危機感を持った日本が朝鮮半島を自らの命綱ということを認識して清、さらにロシアと対峙してこれに勝利し、以後韓国併合を進めてその経営を順調に進めたという受取り方をする人達も多いと思う。しかし朝鮮を開国に導き最終的に日韓併合に到達する過程は我が国にとって茨の道であった。この経過を詳しく述べると次の通りである。

第二章　我が国の日清戦争に至る過程

◆第1節　大院君政権の鎖国攘夷政策への懸念

日本の徳川幕府が、1858年欧米5ヵ国に対して開港したことおよび1860年に英仏連合軍が北京に侵入して北京条約が締結されたこと（北清事変）は当時大院君（国王高宗の父）が政権の座にあった李朝にも伝わっていた。また朝鮮半島沿岸に諸外国の船舶がしきりに出没し、国民の間にも外国の侵略についての危機意識が高まっていた。しかし大院君の政策は、鎖国攘夷に徹底的にこだわったものであったので、諸外国からのアプローチは一切拒否し続けていた。日本は、李朝が我が国のように早急に開国して近代化と、富国強兵を進めなければ早晩西欧列強の支配下におかれるであろう。もしそうなれば隣国である我が国は窮地に立たせることになる。そのためにはこの際日本は、武力をもってしても強引に李朝を開国させなければならないという考え方が出て来たのである。これが西郷隆盛等を中心とする征韓論といわれるものであった。征韓論というからには朝鮮を侵略する目的があるように取られるが、真の目的は今述べたところにあった。もう一つ触れなければならないのは、「攘夷」下にあった、李朝の王はあくまで中国の皇帝に臣従する朝鮮王であって、盟主である中国皇帝に対してすべておうかがいを立て、その指示に従うという態勢下にあった。開国をはたした日本からすればこのような李朝の態度は時代錯誤もはなはだしいものであった。

◆第2節　政策なき開国で閔氏政権は混乱

1872年（明治5年）日本は開国に関する国書を送り、これは1868年（明治元年）に朝鮮より受け取り拒否にあって以来のことになるが、再度軍艦2隻を伴い修交を求める。しかし、この通商要求に対しても大院君は強硬にはねつけたのであった。一方1873年（明治6年）大院君が失脚し、新たに政権を握ったのは高宗の妃、閔妃（ミンピ）の一族であった。閔妃自体大変な権力欲を持つ人物で、この閔妃一族が大院君の専制政治に不満を持つ勢力を結集して大院君の排斥に乗り出し、ついに大院君を引退に追い込んだのであった。

大院君に代わって成立した閔氏政権は清とも相談の上、ともかくも日本との武力衝突を避けるため、1874年（明治7年）外交交渉を進めることにした。しかし日本、李朝共相手方に対するささいなことで理解、配慮を欠いた結果、肝心な交渉にまで至らなかった。業をにやした日本政府はついに1875年（明治8年）に砲艦外交に打って出る。

日本は釜山に軍艦2隻を派遣して威圧を加えた上、黒田清隆を全権大使として条約締結交渉に当たらせる。これに対して李朝側は近代的な条約の意義に無知であったため、最初から双方がかみ合わないまま推移したが、最終的に1876年（明治9年）日朝修好条約が締結され、朝鮮は開国に踏み切った。

閔氏政権は何等の政策も展望もなしに、ただ時代の流れに押されるままに開国したのであった。すなわち閔氏政権下の李朝において、世界の趨勢を見きわめている若手の開化派官僚が主導権を持って開国開化政策を進めたが、一方では国を反対の方に押し戻そうとする儒学徒の勢力も衰えていなかったため、国論が不統一の中で閔氏政権は難しい舵取りをせまられた。

ここで一大事件が発生する。信じられないような話であるが、当時の朝鮮の人口1300万人に対して、軍隊はわずか2千数百名しかいなかった。当然自力で自国を守ることはできるはずもなく、事が起れば宗主国の清国に泣きつくしか方法はなかった。

◆第3節　壬午軍乱により清国の朝鮮干渉が強化

このため日本は朝鮮に新式の小銃を送り、近代的な部隊編成を勧め、新たに各軍営から80名の志願兵を選抜して、新たな別動軍を組織した。ところが旧来からの兵士は旧式の火縄銃しか持たない旧式の部隊で、彼らと新たに設けられた別動軍との間には、待遇の面で大きな差をつけられていた。さらに旧軍兵士に対する俸給米の支給が1年近くも滞っていたため、一挙に閔氏政権に対する不満が爆発して1882年（明治15年）下層市民まで巻き込んだ大暴動（壬午軍乱）が起る。

彼等は官庁や閔氏一族の屋敷や日本公使館を襲撃して王宮にまで進入する。閔妃はかろうじて王宮から脱出するが、閔氏系の高級官僚、王宮内にいた日本人など多数が殺される。この軍乱により閔氏政権は倒れ、再び大院君が政権を掌握する。

日本は直ちに居留民保護と韓国政府の責任追及のため軍艦4隻と陸軍数百名を仁川に集結させる。そして賠償金50万円や公式謝罪などを韓国政府に求める。一方清国もこのままの状況が続くと日本軍と韓国軍衝突は必至として、調停と称して3隻の軍艦と3000名の陸軍を派遣する。この結果としてこの状況を調整するためには、大院君を取り除く他なしとの清、日の間で協議が成立し、清国は大院君を捕え天津に連行、その他大院君一派を粛清してこの軍乱は完全に鎮圧される。

そしてまたもや政権は閔妃一族が握ることになる。日本は済物浦条約を結び、日本に対する賠償金50万円の支払い、日本人被害者に対する見舞金の支払い、日本公使館への警備兵の駐屯などを取り決めた。一方清国はこの軍乱をきっかけにして、朝鮮に対する干渉を強化していく。具体的には首都漢城を軍事制圧下におき、不平等条約締結を強制。外交顧問の派遣などであった。

李朝は全く自主性をもった内外政策を示すことができず、復活した閔氏政権はもはや日本は恃むに足りない。矢張り巨大な宗主国中国との関係を維持するべきであるとの考え方に後退していったのである。

この清国の朝鮮干渉の強化により、日朝修好条約の意義が残念ながら抜け殻化してしまった。清国は宗主国でありながら韓国に対して内政、外政にあからさまに介入しなかった。したがって日本は清国と朝鮮との間に打ち込んだ楔である日韓条約を清国の介入なく、ただその権利を行使していればよかったのであるが、局面は大きく変わってしまった。正直いって清国は、当初は日本を軽視していたきらいがある。しかしその後の日本の帝国主義的動きを見て、従来とは違った韓国への干渉強化に乗り出す。この清国の方針変更に対処して、日本も方針の変更を余儀なくされたのであった。

◆第４節　開化派、独立党による甲申クーデター失敗

日本は明治維新以来富国強兵策をとり、驚異的な発展を示したが、しかし未だ経済力、軍事力両面において世界の強国に伍していける実力はなかった。即ち清国の朝鮮への干渉を排除したくとも、清国と事をかまえるまでの考えはなかった。日本はこれまで一貫して金玉均（キム・オッキュン）らの若手改革派による独立党を支援することによって、朝鮮の中国からの独立と近代的改革を目指していた。しかし、余りにも露骨な支援は独立党の動きがかえって難しくなると考え、独立党への支援も限定し、経済的利益の獲得により勢力を拡張していくという方向にシフトしていった。

一方韓国内部の改革推進派も清国の干渉強化により、それを支持する閔氏政権を前にして干渉強化がされたにしても、従来通り韓国の近代化を推進していこうとする立場を明確にしていた金弘集（キム・ホンジプ）らのグループと、金玉均らのあくまで日本の明治維新にな

らい清国からの独立を目指す近代化を強く唱える独立党に分かれ、その対立は次第に深まっていった。

指導者の金玉均は、1851年生まれであるが、21歳で科挙を首席で及第し、高等文官を養成する唯一の国立大学に官職を得た後、1873年（明治6年）大院君（テウォングン）が政権の座を追われ、閔氏政権が成立した後、順調に出世をとげていく。彼は、早くから開国思想を持っていたが、その間開化思想を説く二人の先輩から大きな影響を受け、一層それに傾注するようになる。彼は国を思う有志を糾合して、独立党を結成した。

この団体は、両班政治家達の党ではなく、広く中人階級および常民階級までを含む幅広い、李朝においては特別な政治集団であった。その後、金は近代化と富国強兵策を進める日本に傾斜していく。そして彼自身が自ら日本への派遣を国王高宗に働きかけたのであった。高宗（ゴジョン）自身にも、将来有望な若手官僚を日本に行かせ、見聞を深めることに異存はなかった。

1882年（明治15年）3月、金は他の二名と共に長崎に上陸し、その後京都、東京を回り、特に福澤諭吉の紹介でさまざまな人物と会い意見を交換し、政治、経済、軍事の諸施設を訪問して見聞を広める。会った人物の中には井上馨、大隈重信、渋沢栄一、大倉喜七郎、榎本武揚などが数えられる。翌年帰国後、金は40数名の若手を日本に留学させ、福澤の手に委ねるのであるが、金のこのような近代化に向かっての政策には、守旧派から大きな反発が起こった。加えて詳細は省くが、福澤の仲介により朝鮮が日本より300万円の借款を得て、近代化を推進するという計画が、日本の方針転換により挫折し、金の計画は水泡に帰したのであった。

その後、閔氏の勢力が連合して金玉均排斥と、独立党の圧迫へと大きく動き出して来たため、独立党は四面楚歌の状態に陥った。このように300万円の借款が得られなかった最大の理由は、清国が対朝鮮政策を強化してこれを受けた日本政府が柔軟外交へと方針を転換したことに起因するのであるが、金が帰国してからまもなく日本政府は、それまでの消極策から再び金玉均ら独立党への積極的な姿勢へと方針を転換させるのである。

この理由は1884年（明治17年）5月に清国とフランスとの間でベトナムを巡って争いが生じ、朝鮮駐在の清国軍の約半分1500名が本国に移駐したためである。さらに8月には戦線が拡大したため、再び朝鮮への増派はあり得なくなったという判断による。この日本政府の方針大変化に対応して、これを絶好の機会ととらえ、独立党はクーデターを目論む。勿論高宗もこの考えに基本的には賛成であった。

1884年12月4日、郵政局開局の祝宴において、日本公使率いる150名の日本軍、独立党関連の100名、そして李朝軍が一丸となり決起し、閔派の要人数名を殺害した。そして開化派を中心とする新政府を組織した。しかし袁世凱の率いる清軍が反撃に移り、金玉均をはじめ日本公使などは退却を余儀なくされ、このクーデター（甲申クーデター）は失敗に終わったのであった。金玉均をはじめ独立党の面々はかろうじて仁川から日本の船により日本へ亡命した。

1885年（明治18年）1月、日本と朝鮮との間でこの甲申クーデターの後始末のため漢城条約が結ばれ、朝鮮国の謝罪、日本人死者・負傷者、日本人商人の貨物への破損略奪に対する弁済、日本公使館の再建費用の朝鮮負担などが約束された。

次いで4月3日天津で清国との間で天津条約が結ばれた。内容は、日清の両軍は朝鮮から撤退、日清両国は今後重大事変が発生した場合、互いに事前通告し、事変が平定すれば速やかに軍隊を撤収させ駐留はしないことが主なものである。

結論として、両軍とも「引き分け」にもって行ければ十分という考え方であったから、この事件の真相究明は行われず、甲申クーデターは政治的決着で幕引きとなった。一方ここで注意しなければならないのは、李朝とロシアの間でこの漢城条約締結に際し、朝鮮とロシアの間でロシアから軍人教官を招く、第三国が朝鮮を侵略するときはロシアは軍事力を行使するなどが内容であるが、正式な文書になったものではない。これは朝鮮において政変後の権力回復を目指した閔氏一族が清国の横暴ぶりに耐えかね、しかし日本も頼りにならない。それならば当時世界最強といわれたロシアの軍事力に頼るのが一番ではないかと考えた結果であろう。

◆第5節　西欧列強の朝鮮半島進出と清国の統治

一方ロシアの関与について思いをはせると、同国は東では中国との間で国境紛争を起こして、すでに朝鮮と国境を接するところまで南下を続けていた。さらに西ではアフガニスタンで英国と対峙するところまで勢力を伸張していた。英国は1885年（明治18年）4月、突然済州海峡にある巨文島を占領して、ここに海軍基地をおいた。これはロシアの太平洋艦隊が朝鮮半島の永興湾一帯の占領を阻止しようとするもので、もっといえばウラジオストック封鎖を念頭においたものである。これに対して朝鮮は何等手を打つことができなかった。

このようなロシアや英国の東アジア進出は、我が国にも大きな影響を及ぼした。ここで日本は李朝に対して柔軟路線をとり、これまでの対処方法を大きく変換させる。それまでの日本は朝鮮に対する清国の宗主権を認めない立場であったが、朝鮮の専制王権を抑えて日清両国が共同でコントロールしやすい政府によって国内改革を行わせるよう提案したのであった。王朝国家李朝を独立民族国家に変えようとするものである。そうしなければ、前記のように朝鮮半島はいつまでも西欧列強の進出にさらされ続けると考えたからである。

もはや国内改革派の力はなくなり、自らによる国内改革が不可能なことは明らかで、今後は清国との共同管理によりロシアなどの進出に対抗しようとするものであった。正直いって日本のおかれた立場は、それ以外に方法はなかったのである。しかし清国はこれを拒否し、あくまで宗主権にこだわり続けたのであった。このため日本は対朝鮮半島政策の実際的な手掛かりを失くしてしまった。

一方で清国は１８８５年8月、先の壬午軍乱で幽閉中であった大院君を帰国させた。これは、ロシアにしきりに接近をはかる閔氏一族に対する牽制であった。さらに10月、袁世凱を国王代理ともいうべき朝鮮統治の責任者に起用し、李朝の政治全般に目を配らせる。一方李朝はあらためてロシアとの密約交渉に動き出す。

このことはたちまち清国の知るところとなり、清国は激しくこれを追及するが、李朝はその事実を否定し白を切ったためうやむやに終わってしまった。しかしこれを機会にさらなる清国の厳しい締め付けが始まったのであった。

第三章　韓国併合への過程

◆第1節　東学党の乱から日清戦争勃発

1894年（明治27年）3月亡命先の日本から上海に渡った金玉均が、上海のホテルで李朝の放った刺客により暗殺された。そして同年5月甲申農民武装蜂起いわゆる東学党の乱が起る。

東学とは、儒教、仏教、道教を合わせた独自の教義を持つ民衆宗教で、西のキリスト教に対して東の学、すなわち東学という。東学党は、日本と西洋の干渉を排し、朝鮮の大義を進めるという宗教運動を展開していたが、徐々に農民を圧迫する地方官吏の横暴な徴税に対する農民闘争となっていった。

1894年2月全羅道においていた東学教団が、ついに1000名の農民を率いて郡庁を襲撃したことからこの乱は始まる。政府はなんとかこれを鎮めようとするが、その対処方法を間違ったため農民8000名が決起し、軍隊をもってこれを鎮圧しようとしたところが、ついに反乱の規模は7万名にまで膨れ上がり、政府軍は敗退して、全羅道の道都全州が陥落してしまう。

これに対して高宗と閔氏政府は清国に鎮圧を要請する。清国は天津条約により日本に対して軍隊派遣の事前通告を行い、軍艦を仁川に派遣した。一方日本も同条約に従い事前通告を行い、日本公使館と日本人居留民の保護を理由に仁川に軍隊を派遣するとともに、陸軍の一部を漢城に入れる。

　李朝政府はあわてて農民軍の税制改革案などを認め、また農民軍への安全保障を約束したため農民軍は全州から撤退する。これにより李朝政府は、日清両国に軍隊の共同撤退を提案するが、清国はこれを拒否し、一方日本も李朝の内政改革を提案するが李朝政府はこれを拒否する。

　日本政府は内政の改革を行わなければ内乱が再発することは必至であるから、改革に応じなければ軍隊撤収をしないと回答してあくまで内政の改革にこだわった。高宗も改革の必要性は十分認めていたが、具体策には何等手を付けることがなかった。また農民軍は依然武装を解除したわけではなく、閔氏政権が続く限り再蜂起は十分考えられ、「具体的な改革が行われるまでは日本軍の駐留は必要」という日本政府の主張を変えることは難しかった。

　こうして日本は7月22日を回答期限として次の要求を李朝政府に突き付ける。即ち清軍の撤兵要請、実質的な宗属関係を規定する朝清通商貿易章程を破棄すること。これに対して李朝はこれを無視したため、これが最後通牒となり、翌23日日本軍は漢城城内に入り、諸門を固め、さらに王宮に侵入した。一方国王に大院君を執政とするとの詔勅を出させ、閔氏一派を政権から追放、朝鮮軍の武装解除を行った。そして25日には日本海軍が牙山湾沖で清国の軍艦を砲撃して、日清戦争の幕が切って落とされたのであった。

　日清戦争の最中勝利を確信していた日本は、8月17日に閣議において戦後朝鮮をどうするかという基本方針を討議する。その内容は、①朝鮮自主独立放任　②日本による保護国化　③日清両国による共同統治　④朝鮮の永世中立の、四つの案であったが②案の方向で進むという方向が有力であって、確たる基本方針は示されずに終わった。「保護国とは隷属国の統治機能の一部を行使する保護関係を条約により設定する国家関係」といわれている。日清戦争は、世界の大方の予想に反し、日本側が有利な戦いを進めた。緒戦の平壌の戦い、黄海海戦で日本は清国軍の出鼻をくじき11月には旅順を攻略、翌1895年（明治28年）の清国北洋艦隊の壊滅により日本の勝利が決定的となった。

そして同年4月日清条約が締結される。この講和条約において、日本は清国から遼東半島を獲得するが、ロシア、フランス、ドイツがこれにクレームを付け、我が国から清国へ返還をするように求めたのであった。すなわち「三国干渉」といわれる帝国主義的手段であたった。日本はこれに屈せざるを得なかった。この条約で日本と朝鮮との関係については中国と朝鮮の宗属関係が廃棄され、朝鮮は「独立自由の国」と規定され、旧来からの朝貢が否定されたのであった。

◆第2節　李朝政府はロシアの傀儡政権へと移行

このような状況の中の朝鮮は1894年（明治27年）に第一次甲午改革といわれる新改革派官僚による改革が進められていった。すなわち相変わらずの高宗や閔妃派、大院君派官僚の圧力はあったものの、それをはね返して近代化が進められたのであった。しかし日本が三国干渉に屈したため急速に親露派が台頭してくるのである。

彼等は改革派を圧倒して閔妃派や親欧派が力を持ってくるのである。甲午改革は朝鮮の近代史の中で一際光る諸施策が含まれていたが、この改革は国主を始めとする守旧派によりことごとく妨害され実を結ばなかった。

日本は日清戦争に勝ったものの李朝政府は親日的な官僚を排除し、閔妃一派は益々ロシアとの接近を図っていったため、日本主導の改革は頓挫せざるを得なくなった。１８９５年(明治28年）10月８日、日本軍守備隊は王宮を占領して閔妃を斬殺する。日本としては何としても外威政治の悪弊を排除したかったのである。

こうして閔氏一族は追放され、またしても大院君が執政として登場する。そして全弘集による開化派の内閣が成立する。しかしこの日本を後ろ盾とした内閣に対する反発は強く、１８９６年（明治29年）早々から農民の蜂起が見られるようになった。この動きは急速に全国へ拡大していった。親日政権と対する武力闘争の始まりであった。

この義兵闘争といわれる農民に対して政府が援兵を送ったところ、それが王宮の衛兵が手うすになったところを見計らい、ロシアの手を借りた親露派のクーデターが起きたのである。当時の駐朝ロシア公使が仁川に停泊中のロシア軍艦から将兵をロシア公使館に入れると同時に、国王をロシア公使館に移してしまった。親露派官僚達は国王に国王親政を宣言させ、開化派の政権首脳５名の逮捕死殺令を布告させた。

こうして李朝政府は、日本の影響力を完全に遮断することに成功した。李朝政府は、ロシアの堅塁を頼って自らロシアの手中に入ることを望んだのである。このことは自主独立とは名ばかりで、まさにロシアの傀儡政権となったのである。このことによって日本は、朝鮮におけるロシアの政治的、軍事的勢力を排除しなければ朝鮮を保護国化する道は決して開かれないと思い知ったのであった。

◆第3節　日露戦争で朝鮮半島は日本の統治下へ

１８９９年（明治32年）フランスは中国広州湾を租借する。一方ロシアが関東州を設置するなど列強の清国進出は急を告げるなか、清国の国内では１９００年（明治33年）６月義和団事件（北清事変）が起こる。義和団は元々拳法を行う民間団体であったが、西欧のキリスト教と列強の清国侵略を攻撃していた。このため清朝政府は義和団を１８９８年(明治31年)近代的な装備をもって正規軍と共に闘う民間人の軍団、すなわち民団として公認した。するとこの民団に貧農や流民が大量に流れ込み、一気に大集団となったのである。この義和団が「清朝を扶け西洋を滅する」ことを旗印にして一般農民を集め、一大暴動を引き起こした。そして外国人宣教師を殺害したのをきっかけに外国軍隊が出動する。具体的には日、英、米、露、独、仏、伊、墺の連合軍が中国に軍事出動して暴動は鎮圧されたのであるが、ロシアはこの乱が終結してもなお、４、０００名の軍隊を満州に駐留させたまま撤兵せず、事実上の占領を続けたのであった。

これに対して日本は１９０２年（明治35年）日英同盟を結びロシアを牽制するが、ロシアはフランスと結び南下政策を続行した。このような状勢下、清国は満州からの撤兵をロシアに強く求め、撤兵協定を結ぶことに成功する。しかしロシアは完全な撤兵を行わず、韓国との国境に厚い防御線を構築し始める。その間にシベリア鉄道が完成し、ロシアの南進を進める条件は完全に整ったのであった。

１９０３年（明治36年）８月、日露の間で協商が開かれるが、日本がロシアの満州からの撤兵を要求したのに対して、ロシアは強硬に出てくる。すなわち北緯39°をもって韓国を分割して、それぞれの勢力の下におくという提案を行い、日本は断固これを拒否したのであった。こうしてロシアは完全な満州全土の完全占領を宣言したのであった。ここにおいて日本とロシアは韓国を巡って、もはや妥協の余地は全くなくなり、ついに1904年（明治37年）日本軍は仁川に上陸、さらにロシア艦隊を旅順港外で攻撃して日露戦争が開始された。

翌1905年（明治38年）1月旅順が陥落し、3月の奉天会戦、さらに5月の日本海海戦において日本はロシア艦隊を全滅させ、日本の勝利が確定したのであった。そして9月にアメリカのルーズベルト大統領の斡旋でポーツマスに於いて、日露講和会議が行われ講和条約が締結された。このポーツマス条約の中で日本は、ロシアから韓国における政治、軍事、経済上の特権を引き継ぐことが認められた。他に樺太南部の領有などが認められたが、何にもまして日本の生命線である韓国を保護国化することに成功したことは大きな成果であった。

日本はポーツマス条約に基づき同年11月に第二次日韓協約を結び、韓国の保護国化を成功したのであった。1910年（明治43年）8月、日韓併合条約が調印され、大韓帝国は消滅して朝鮮半島は日本の統治下に入った。これをもって一般には日本が朝鮮を植民地化したといわれるが、これはあくまで日本が朝鮮を併合したのであって、植民地化というのには語弊がある。なぜならこれ以前韓国側からロシアのくびきから逃れるため、進んで自ら日本と合邦を目論む計画があったことを忘れてはならない。また日本の韓国統治は先にも述べたように、欧米の収奪を目的とする経営ではなかったことを特に強調しておきたい。

■おわりに

昨今韓国との摩擦が高まり、日韓関係は最悪といってよい状況にある。我々日本人は、中学、高校において近代史の学習が充分になされていないため日本と朝鮮との間に過去においてどのようなことがあったのか理解していない国民が多いのではないかと思う。歴史に学べとはよく言われることであるが、肝腎の歴史に無知では手の打ちようがない。そこで今回は過去の「日韓併合」の具体的な内容を明らかにしてみた次第である。

「日韓併合」についてはいろいろな書籍があるが、今回私は崔基鎬氏の「歴史再検証、日韓併合の真実」と呉善花氏の「日本統治は「悪」だったのか」を参考にさせて頂いた。特に併合の流れについては呉氏の著書に負うところが大きかった。

第22話

日米安全保障条約の行方

元はルーズベルトの世界政策失敗

２０１９年９月30日

そもそも今回「金言」で日米安全保障条約について取り上げたのは、産経新聞７月８日付「正論」の田久保忠衛先生の「戦後に別れを告げる第三の黒船」と題する論文を読んだのがきっかけであった。この論文を読まれた方は多数おられると思うが、その内容は次の通りである。

第一章　田久保忠衛先生の論文内容

◆第１節　トランプ大統領は日本の専守防衛を痛烈に抉る

安倍晋三首相は内閣の発足にあたって「戦後レジームからの脱却」を唱えたが、最近誰もこれを口にしようとしない。軽武装、経済大国を目指す「吉田ドクトリン」の思想の基本は日本国憲法である。安倍氏とトランプ大統領は個人的に緊密な関係にあることをよいことにして、我々日本人はいざという時に米国の青年が専守防衛の日本を防衛してくれるという依存心を疑わなくなってしまっている。

日本の母親と同様に、自分が腹を痛めた息子が他国の防衛のために血を流すのを、平然と見ている米国の母親がいるはずはない。

これに対して一喝したのがトランプ大統領だ。彼は6月25日以来ブルームバーグ通信に始まり、以後3回にわたり、日米安全保障条約破棄の可能性に言及した。大統領は「日本が攻撃されれば、我々は第三次世界大戦を戦うことになり、あらゆる犠牲を払っても日本を守る。しかし米国が攻撃されても、日本は我々を助ける必要は全くない。彼等はソニーのテレビでその攻撃を見ていられる」と述べたのであった。まさに他国に安全保障をまかせた国家の欠陥をこれ以上痛烈に抉った大統領の発言は前例がない。

◆第2節　長期的展望の中で在日米軍の漸減はあり得る

さらにその後の20カ国（G20）大阪サミット後の記者会見でも、安保破棄の考えは否定しつつも、条約の不公平さについて改めて言及した。これに対し日本政府の対応はトンチンカンにつきる。即ち菅官房長官は「米国からのブルームバーグの報道内容は、米政府の立場と相容れないものだという確認を受けた」と言っているが、大統領は「米政府」以外の特殊な人物だとの認識が前提にあるのだろうか。各新聞社の中で特にこの問題に関心を持っているらしい朝日新聞は、「安全保障で揺さぶりをかける大統領の狙いは、日米貿易交渉において自らの支持基盤にアピールすることだと日本側は見ている」と書いていたが、これこそ低次元な見当はずれと言って差し支えない。

トランプ氏はそもそも大統領選のキャンペーン当時から、在韓米軍の撤退を口にし、ドイツなどの、北大西洋条約機構（NATO）加盟国の防衛努力不足を公然となじってきた。シリアからの米軍撤退を決めたし、加えて大西洋同盟の根幹であるNATOから脱退する意思すら、周囲に複数回漏らしているという米紙の報道があった。大統領の他に「米政府当局」がいると考えたり、在日米軍に対する日本の負担が他国より多額だから日本への不満は少ないなど、自国に対する好都合な解釈はこの際控えるべきではないか。

軽々しい判断は慎まなければならないが、トランプ大統領の一連の発言には、孤立主義的な響きを感じることがある。昨年9月の国連演説では「この半球（北米・南米）と我々固有の問題に外国が介入することを拒否するのは、モンロー大統領以来、我が国の公式の政策である」と述べた。すなわち孤立主義者といわれたモンローの第一原則は、他国の介入阻止、そして第二原則は自国の他国への介入には言及しなかったが、長期的展望の中では日本を含む海外駐留軍の漸減はあり得る。

◆第3節　戦後に別れを告げる時期の到来

今から22年前、当時のブレジンスキー大統領（カーター大統領）補佐官は、「いずれ中国がユーラシア大陸で覇を唱える大国にのし上がり、米国との対立が深刻化する」と、今日の事態を正確に予言していたのであった。そうなった場合、彼は事実上の米国の保護国として準大国にのし上がった日本が、米中両国の狭間にあって大きなジレンマに陥ると予言していたのであった。

我が国のとる道として、米国との同盟維持、軍事大国化、中国との関係緊密化の三つの選択の内でどれを選ぶかは自明であるが、それだけに米国最高指導者の発言を見誤ってはならない。世界の現状では全く通用しないパシフィズム（反戦主義）、それを支えている日本国憲法への信仰、沖縄で繰り広げられている反基地闘争を支えてきた論理は破砕されたといってよい。ペリーの黒船、第二次大戦での敗戦、それに次ぐ「第三の黒船」である。戦後に別れを告げる時期の到来と私は期待している。

第二章 「日米安全保障条約」に関する考察

◆第1節 トランプ大統領が不公平と考える根拠

さて、前記の論文が発表された少し前の6月25日、トランプ大統領は、非公式の場ではあったが「日米安保条約は不公平な合意である。これは改正しなければならない」と、「日米安保の破棄」に言及した。この主張は前からの大統領の持論であったが、この持論を改めて展開したわけである。トランプ大統領が米国にとって日米安保条約が「不公平」だと考えている根拠には、日本が攻撃されれば米国が援助することを約束しているが、米国が攻撃された場合に日本の自衛隊は米軍を支援するとは義務付けられていないことから、余りにも一方的だと大統領は感じているのである。大統領は、自分は安倍晋三首相にこれを変える必要があると伝えてあるとも述べ、さらに安倍首相は米国が攻撃された時に、日本が米国を助ける必要があることはわかっているし、そうすることが問題だとは考えないだろうと付け加えている。これについては先に妥結し、当時進行中であった日米貿易交渉を有利に進めるための牽制策であるとか、前々からＮＡＴＯに対して要求している同盟負担の分担について、ＮＡＴＯばかりを標的にするのは問題があるのでバランスをとったのではないかとの憶測も、一部に話されている。

◆第2節　日米双方の非対称な義務とバランス

現行日米安保条約が日本にとって有利で、アメリカにとって不公平（アンフェア）なものなのかどうか。１９５１年のサンフランシスコにおける平和条約とともに締結された旧安保条約には、相互防衛の規定がなく、日本は米国に基地を貸すが、米国には日本を防衛する義務はなかったのである。今になってみれば国民の大半は本当にそうかと思っているが、当時このような条約は不公平だという批判が高まり、１９６０年に、現在のように米国が日本の防衛義務を負う相互防衛の規定が設けられたのであった。

そしてこのことは今やほとんど話題にならないが、相互防衛の範囲について、当初米国が提案したのは「太平洋」であったのだが、それでは日本政府（国会）は受け入れ不能と判断された結果、「日本の施政の下にある領域」となり、米国に対する日本の防衛義務は、日本に駐留する米軍の防衛に限られることになった。この結果、日本が米国領土の防衛義務を負わないことについて、米国にとって不公平な条約に見えるようになったわけである。

しかし、日本は新安保条約により、改めて米国に基地を貸す義務を負い、米国は日本を防衛する義務を負うことで日米双方の義務という面ではバランスが図られたのである。しかし、これは客観的にみるなら非対称なかたちでの条約で、どうしてもそのバランスにおいて、双方に不満が出てくるのはやむをえない。まして米国にとっては有事になれば自国の若者に血を流させて相手国を守ることを約束しているわけだから、どうしても大変な不満を持つ。一方、有事はおろか、平時にも基地を貸し続ける日本側には、米国が基地の価値（特に沖縄の基地はアジアから中東までの米国の世界戦略になくてはならないものである）や、コストや危険性について、何等理解していないという疑いを持つことになる。

◆第3節　莫大な防衛コストを忌避して経済成長に邁進

私は、我が国が同盟国である米軍の駐留費を充分に負担していると考える。そもそも1978年度以降、米軍施設で働く労働者の福利費や施設労働者の給与、光熱費など在日米軍駐留経費の負担（いわゆる思いやり予算）は、実に1974億円にもなっている。いささか古いが2004年の米国国防省の米軍駐留各国の負担割合は、日本74・5%、韓国40%、ドイツ32・6%となっており、日本の割合は突出している。トランプ大統領は次期大統領選挙をにらみ、駐留経費の負担要求を強めようとしているが、正直これ以上に大幅に増加するとアメリカ軍は日本の、極端にいうと傭兵となってしまうのではないか。今になって考えると1960年の岸首相による安保改正になぜあれほど反対したのかわからない。日本は単に基地を提供するだけで、莫大な防衛コストを忌避し得たのであった。我が国は米国に日本の防衛義務を課し、その結果日本は経済の成長に邁進し、高度経済成長を実現することができたのであった。

第三章　戦後レジームからの脱却

◆第1節　無抵抗・丸腰の憲法を押し付けたアメリカ

今更アメリカが安保条約は不公平だと主張しても、そもそも太平洋戦争における日本の敗戦後アメリカの対日政策は、日本が二度とアメリカに挑戦できない体制にすることを考え、極端にいえば明治維新前の農業国にまで貶めることを念頭に、その指針として日本に押し付けたのが現在の日本国憲法なのである。

現日本国憲法を読むがいい。その前文における国民主権、平和主義は良いとして、自国の防衛に関しては「日本国民は恒久の平和を念願して、平和を愛する諸国民の公正と信義に信頼して我等の安全と生存を保持しようと決意した」と謳い、これを受けてご承知のように憲法第9条で「戦争と武力による威嚇、武力の行使は永久に放棄する。この目的を達成するため陸、海、空軍その他の戦力は保持しない。さらに国の交戦権は認めない」と、世界のどこの国にもない無抵抗、丸腰の前代未聞の条文が出現したのであった。アメリカ政府は、この時点では徹底した排日主義者であったルーズベルトは亡くなっており、後をついだトルーマン大統領もルーズベルトの政策をそのまま継承していた。先にも述べたように、日本が再び第一線に立ち戻れないように手枷足枷としたのがこの憲法であった。

◆第2節　ルーズベルトの世界政策の大失策

ルーズベルトは1945年2月ソ連のヤルタでイギリスのチャーチル、ソ連のスターリンと会談した。これは第二次世界大戦が終盤に入った中で、戦後の米ソの利害関係を如何にするかを協議した会談であったが、すべてスターリンのペースで進められ、ソ連の対日参戦や、日本の領土、すなわち千島、樺太、朝鮮半島、台湾などの処遇を決めたのであった。ヤルタにおいてルーズベルトはすでに病魔におかされており、すべてヨーロッパ、極東の戦後処理はスターリンの意向が反映されたのであった。本来ならルーズベルトを助けて民主国側の考えを主張すべきチャーチルも何一つ発言せず、冷戦の原因をつくったのである。ヤルタ協定は秘密協定であり、米、英、ソ連以外の当事国は全てはずされており、この協定の有効性には疑問のあるところである。

いずれにしてもスターリンはルーズベルトの弱みにつけ込み、戦後ヨーロッパにおいて、また極東においても大きな利益を獲得し、戦後アメリカを中心とする資本主義陣営と、ソ連を中心とする共産主義陣営の間で激しい東西冷戦が開始された。このような状態をまねいた責任は一つにルーズベルトとチャーチルにあると言って過言ではない。ルーズベルトとその一派は日本を完膚なきまでにたたきのめし、前記のような憲法まで押し付けたのであった。そもそも占領中の国家における憲法などの基本法の改正は国際法違反なのである。彼等は巧みに自主的な憲法制定としているが、実際にはアメリカによる日本国憲法がつくられたことを我々は改めて承知しておくべきである。ところが1950年6月、突然朝鮮半島において北朝鮮軍が韓国に侵入し、朝鮮戦争が勃発したのであった。驚いたのはアメリカであった。日本軍を解体し、交戦権まで奪う憲法を押しつけた結果にアメリカは狼狽した。これこそルーズベルトの世界政策の大失敗の一つである。

このように日本を徹底的に痛めつけたためソ連の勢力は拡大し、冷戦においてアメリカは苦労することになる。もう一つ言わせてもらえば日本をたたく一方、中国の蒋介石を援助した結果、毛沢東の共産主義中国建国に結果として手を貸してしまい、その中国に悩まされているのがアメリカの現状であって、これもルーズベルトの大失策の一つである。

◆第3節　現行憲法では今後国の存在価値を失う

さて、慌ててアメリカは日本に再軍備を押しつけようとしたが、自らつくった「平和憲法」が自縄自縛となり再軍備は難しかった。このため苦肉の策として軍隊に代わる、当初は警察予備隊が1950年8月に発足し、これが保安隊となり、さらに1954年（昭和29年）事実上の軍事組織である自衛隊が発足した。ご承知のようにこの組織は、国際法上軍隊として扱われているが、これを歴代の内閣があらゆる手段を駆使して憲法に違反するものでないとして今日に至っている。しかし、これは誰がどう考えても近代的軍隊の保持であり、憲法違反は明白である。このため何とか憲法の改正を行わなければならないのであるが、我が国には憲法改正に反対する朝日新聞を筆頭とする左巻き勢力が依然として跋扈しており、戦後73年を経過した今日、未だに改憲が実現していない。

しかしながら我が国を取り巻く国際状勢は極めて厳しいものがある。中国、ロシア、北朝鮮はすべて核保有国であり、田久保論文の通り、仮にここで日米安保条約破棄ということになった場合、我が国はどう対処して行くか、まさに大問題といわねばならない。

トランプ大統領は特異な性格の大統領で、「大統領が変われば日米同盟は安泰である」などという考えは極めて甘いのである。アメリカの考えは共和党も民主党も双方アメリカ第一主義に傾いており、早晩我が国は自主独立した防衛態勢をとらざるを得ないのは火を見るよりも明らかである。事実、中国の軍備拡張のスピードは目を見張るような状況で、アメリカは、現状では軍備全体では中国を上回ってはいるものの活動範囲は欧州、中東、アジアと広く、一方中国はアジアに限定されているためアジアにおいてアメリカ軍は均衡を保つのに苦労している。例えばアメリカの沿岸警備隊の船舶まで南シナ海に投入されている。

このところ中東のイラン状勢が悪化して、トランプ大統領は中東のホルムズ海峡を通過するタンカーは自国で守れと述べ、さらに7月19日トランプ氏は、タンカー防衛のための有志連合の結成を求めたのであった。我が国ははっきりいって現在の憲法の下ではこの連合に参加できない。我々は１９９０年の対イラク湾岸戦争において、日本は資金だけの拠出にとどまり、自衛隊を動かすどころか一切、洞ヶ峠を決め込み、世界中の顰蹙をかったことは記憶に新しい。日本はこの件で世界中の物笑いになったのであるが、現行の憲法にこだわり続けて湾岸戦争の轍を今後踏むならば、国としての存在価値を失うであろう。

■おわりに

田久保論文は今こそ「第三の黒船」到来であると指摘されているが、まさにルーズベルトの大失策の結果生まれた現在の憲法を改正し、真に独立した自主防衛体制を築かぬ限り日本の将来は暗い。アメリカが現在の日米安保条約を破棄することなどあり得ないと考えている人達も結構存在するが、くどくなるが米国第一主義をとるトランプ大統領は、破棄がアメリカの国益に合致すると考えた場合、破棄を公然として行うであろう。そもそも今の自衛隊は軍隊ではない。憲法を改正して国軍としなければ、ホルムズ海峡に堂々と行けないことはわかっているにもかかわらず、国軍どころか憲法に自衛隊を明記しようとするささやかな改正すら、与党の公明党は傍観して我知らずの態度であり、野党は審議にすら応じようとしない。これが日本の現状であるが。ここで我々は乾坤一擲、安倍首相の言う「戦後レジームの脱却」をはたさぬ限り、日本の未来は暗いと思うのである。

著者略歴

武藤 治太（むとう　はるた）

昭和12年生まれ。

昭和35年慶応義塾大学法学部法律学科卒業。

同年大和紡績株式会社入社。平成4年代表取締役社長、平成15年代表取締役会長、平成20年相談役、平成25年最高顧問、平成30年退任。

現任　公益社団法人國民會館会長（昭和53年〜）、一般社団法人清風会（京都国立博物館）理事長（平成22年〜）。

平成11年藍綬褒章受章。

國民會館の主張「金言」第1巻

武藤治太の「思うまゝ」

（國民會館叢書　別冊）

2020年3月20日　　初版第1刷発行

定価　¥1500円+税

著　者　武藤治太

発行者　公益社団法人　國民會館

代表者　武藤治太

編集人　長谷川敏昭

543-0008　大阪市中央区大手前2－1－2

國民會館・住友生命ビル12階

TEL　06－6941－2433

FAX　06－6941－2435

発売所　株式会社　新風書房

代表取締役　福山琢磨

543-0021　大阪市天王寺区東高津町5－17

TEL　06－6768－4600

FAX　06－6768－1341